Lourdes Miquel Lópe.

¿A que no sabes...?

CLAVE

EDELSA / EDI 6
General Oráa, 32 - 28006 MADRID

Primera edición, 1987
Segunda edición, 1991

ISBN 84 - 7711 - 012 - 3
Depósito legal: M. 21909. 1991

Printed in Spain - Impreso en España
Rogar, S.A. Pol. Ind. Cobo Calleja
28940 FUENLABRADA (Madrid)

CÓDIGOS UTILIZADOS

/   Varias soluciones posibles. En textos literarios la opción del autor figura en primer lugar.

...   Existencia de otras soluciones no incluidas.

Ø   Vacío.

-   Aparece entre palabras o expresiones que completan varios huecos en una misma línea.

CICLO I

I.1.1.

1. esquina.—2. serie de.—3. calzada - acera.—4. bruscamente - choque.—5. bordees - tráfico.—6. rincón.—7. de sobra.—8. montado en - te dejas llevar por.—9. era tarde.—10. trayecto.—11. volvíamos de - vitrinas.—12. ronroneando.—13. sacaría de.—14. se lanza a.—15. corresponde.

I.1.2.

1. quieto - terribles.—2. náuseas.—3. alentaron.—4. rasguño.—5. a gusto - bromeaban.—6. estaba bajo los efectos de - alivio.—7. señas - confirmación.—8. boca arriba.—9. al fondo.—10. poco a poco.—11. de blanco.—12. frenar.—13. lucidez.—14. siente gusto.—15. estás en tu derecho de.—16. amplios.

I.1.3.

1. de.—2. de - a.—3. de.—4. para.—5. por.—6. en.—7. por.—8. en.—9. a.—10. bajo - de.—11. de.—12. de.—13. de.—14. en.—15. a.—16. de.—17. a.

I.1.4.

1. tuviera / tenía.—2. quedaba.—3. hago.—4. pudiéramos.—5. tuviera.—6. dijo / ha dicho.—7. hubiera dormido.—8. se lanzaba / se lanzó.—9. empiece.—10. andando.—11. hicieran.

I.1.5.

1. donde.—2. casi no - ya.—3. sin que.—4. pero.—5. cuando.—6. que.—7. a pesar de.—8. quizá.—9. mientras.

I.1.6.

1. se deja llevar por.—2. volvió de - se puso a.—3. se lanzaron a.—4. sacar de.—5. tratan de / están tratando de.—6. han desviado a.—7. pregunta por. 8. pasaron de.—9. apúrate a.—10. pasarán a.

I.2.

1. dispuso.—2. cortó.—3. saló.—4. puso.—5. sofrió.—6. pasó.—7. descascarillaba.—8. cortaba.—9. retiró.—10. puso.—11. desalaba / desaló.—12. secaba.—13. fue.—14. dejaba / dejó.—15. soltaran / soltasen.—16. sofrió.—17. ligó.—18. dispuso.—19. dejó.—20. bañó.—21. cayó.—22. metió.—23. se gratinara / gratinase.—24. derribó.—25. ocupaba.—26. dispuso.—27. sacó / había sacado.—28. volvió.—29. dormía.—30. zarandeó.—31. hizo.—32. condujo.—33. sentó.—34. cayó.

I.3.

1. La conferencia fue amena.
2. Está de vacaciones.
3. Son de Málaga, pero están en Granada.
4. Siento no ser de tu opinión. / Siento no estar de acuerdo contigo.
5. Estaba a punto de salir cuando me has llamado. / Estaba por salir cuando me has llamado.
6. El simposium será en los locales de un céntrico hotel barcelonés.
7. Estas especias son de Argel.
8. Forzado por las necesidades económicas, está de minero.
9. Fueron realizadas todo tipo de mejoras durante su mandato.
10. Las llaves están en el cajón de la derecha.
11. Federico es profesor.
12. Justo cuando abrías la puerta estaba marcando tu número de teléfono.
13. Julio está en un buen momento.
14. Hace dos horas que estoy haciendo este crucigrama.
15. La obra de teatro ha sido una birria.

I.4.

1. Estaremos en aquel bar hasta que lo cierren.
   Cuando cierren aquel bar, nos iremos.
2. Cuando os levantéis vosotros, me levantaré yo.
   Yo no me levantaré hasta que os levantéis vosotros.
3. El público estará sentado hasta que entre la orquesta en el escenario.
   El público no se levantará antes de que entre la orquesta en el escenario.
4. Rodrigo dejaba de viajar antes de llegar a cansarse.
   Rodrigo viajaba hasta que se cansaba.
5. Terminemos esto antes de que lleguen los invitados.
   Cuando lleguen los invitados, ya habremos terminado esto.

I.5.5.

1. de.—2. en.—3. con - de.—4. con - en.—5. con.—6. de.—7. de.—8. de - en.—9. con.—10. sin - a.

I.6.

1. Espero que vendrán pronto. / Espero que vengan pronto.
2. No me gusta que hablen mal de ti.
3. Su suegro no quiso que compraran aquel ático.
4. Él prefirió que lo dejáramos solo.
5. Necesita que le ayudes a hacer la traducción.
6. Es mejor que hablemos más bajo.
7. Yo no creo que Emilio esté enfermo.
8. Es necesario que vayamos a la clínica.
9. La enfermera os ha dicho que os toméis las pastillas.
10. Vale la pena que te comas el bistec.
11. A vuestro padre le disgusta que le repliquéis.
12. Es conveniente que le llaméis de usted.
13. Es preferible que no comentéis que me habéis visto.
14. No hay más remedio que llamar al fontanero.
15. Es lógico que Ana esté muy apenada por la enfermedad de Jaime.

I.7. 🔲

1. ¿Cuándo te preguntó qué pensábamos hacer? / ¿Quién se lo dijo? Me lo preguntó el viernes.
2. ¿Tú crees que Violeta podrá prepararme las facturas para el lunes? / ¿Podrás hacerme unas camisas con esta tela? / ... Sí, quizás pueda hacértelas.
3. ¿Te acordarás de darle el paquete? / ¿Sabes a quién he visto esta mañana? / ... Ya me lo has dicho antes.
4. ¿Habéis probado la sangría? / ¿Ya habéis desayunado? / ... No, todavía no hemos tomado nada.
5. ¿Hay alguna cerveza en la nevera? / ¿Quedan asientos libres todavía? / ... Sí, quedan tres.

I.8.

1. Como nunca se ponían de acuerdo, decidieron disolver la sociedad y trabajar cada uno por su cuenta. / Decidieron disolver la sociedad y trabajar cada uno por su cuenta dado que nunca se ponían de acuerdo. / ...
2. No pude negarme porque me lo pidió como un favor. / Como me lo pidió como un favor, no pude negarme. / ...
3. Puesto que quería dejar a toda costa ese empleo, ahora tiene que aceptar las consecuencias de su decisión. / Ya que quería dejar a toda costa ese empleo, ahora tiene que aceptar las consecuencias de su decisión. / ...
4. Como se encontraba mal, no fue al trabajo. / No fue al trabajo porque se encontraba mal. / ...

5

5. Tuve que ir a Roma en tren porque había huelga de controladores aéreos. / Como había huelga de controladores aéreos, tuve que ir a Roma en tren. / ...
6. Aún no sabía la noticia porque no había leído el periódico. / Como no había leído el periódico, aún no sabía la noticia. / ...
7. Es mejor que nos veamos otro día, con más tiempo, porque en este momento tengo mucha prisa. / Como en este momento tengo mucha prisa, es mejor que nos veamos otro día, con más tiempo. / ...
8. Tuvimos que subir a pedirles a los vecinos de arriba que respetaran el sueño ajeno porque armaron un alboroto tremendo. / Como el alboroto que armaron los vecinos de arriba era terrible, tuvimos que subir a pedirles que respetaran el sueño ajeno. / ...
9. Dado que fue un festival muy anodino, la prensa ni lo comento. / La prensa ni comentó el festival, ya que fue muy anodino. / ...
10. Hemos decidido cambiar la lavadora porque se ha estropeado varias veces. / Como se ha estropeado varias veces la lavadora, hemos decidido cambiarla. / ...

I.9. ⊙⊙

Había ido al cinematógrafo aquella noche y luego, a la salida, me había tomado unos bocadillos y una cerveza y reemprendido el camino a casa con paso cansado, porque hacía buen tiempo y porque nadie me aguardaba ni tenía qué hacer ni prisa en llegar a ninguna parte. Vivía en un piso pequeño, bajo el tejado de un inmueble moderno, en la calle de Gerona, que un amigo de Serramadriles me proporcionó a poco de llegar a Barcelona. El mobiliario era escasísimo y las pocas piezas de las que constaba eran de la peor calidad: sillas bailarinas, mesas oscilantes, un butacón de mimbre y una profusión de cretonas comidas por el sol. El dormitorio tenía una cama estrecha, poco más que un jergón y un armario sin patas, con la luna cuarteada. El otro aposento estaba destinado a comedor, pero yo, que hacía mis comidas en un restaurante barato y vecinal, lo había destinado a sala de lectura, pues raramente recibía visitas. Tenía, por último, un trastero vacío, sin ventanas, y un lavabo en el dormitorio, donde asearse. Los restantes servicios sanitarios estaban en un cuarto independiente, en el rellano de la escalera, y los compartía con un astrónomo y una solterona. Una cosa buena, en cambio, sí había: las ventanas de las dos habitaciones daban sobre un huertecillo dedicado al cultivo de flores. A mediados del 19 desapareció el huertecillo y empezaron a edificar; vaya por Dios.

MENDOZA, *La verdad sobre el caso Savolta*. (Texto adaptado)

1. b) En el cine.—2. b) Andando porque hacía buen tiempo.—3. c) En el último piso de un edificio.—4. d) Tenía muy pocos muebles y eran viejos.—5. c) Tres.—6. b) En un restaurante barato.—7. a) Las dos habitaciones daban a un huerto.

I.11. ⊙⊙

1. b) No sabe qué es esto—2. c) No, te lo di.—3. b) Si se lo dijo...—4. c) ¿Qué? ¿Pasará?—5. c) Pero no, vino.—6. b) ¡Tienes muchas fotos!—7. a)

Oye bien, Marta.—8. c) Que mal.—9. b) ¿Por qué lo necesita?—10. a) Sí, ¿la ve?

I.12.

A le dijo que desde hacía tiempo lo notaba cambiado y B le explicó que envejecía. A le comentó que cuando la miraba, parecía pensar en otra cosa. Él le contestó que el trabajo que hacía le aburría. Ella le sugirió que lo dejara y que volviera a España. El le contestó que España se había acabado para él. Entonces ella le aconsejó que viajara y él le replicó que los viajes no resolvían nada. Ella le dijo que bebía demasiado y él le contestó que qué otra cosa podía hacer. Entonces ella le preguntó si no le era ella de ninguna ayuda y él le respondió que no había dicho eso. Ella le explicó que cuando lo sentía triste, se entristecía ella también. Él le dijo que no era culpa suya. Ella añadió que le horrorizaba hacerle daño. Él le dijo entonces que no se preocupara.

J. GOYTISOLO, Señas de identidad. (Texto adaptado)

I.13.

1. otro / cualquier otro / ... —2. cualquier otro / otro cualquiera.—3. ese otro.—4. otras tantas.—5 Ø.—6. muchas otras / otras.—7. ninguna otra / otra.—8. cualquier otro - otro tanto.—9. otro.—10. ningún otro.—11. otro / algún otro - otro.

I.14.

1. Me doy cuenta de que es extraño. / Es extraño que me dé cuenta / ...
2. No creo que esté enfadado porque esta mañana estuvo muy amable. / Ya que esta mañana estuvo muy amable, no creo que esté enfadado. / ...
3. Es necesario que me ayudes, pues yo solo no puedo hacerlo. / Como yo solo no puedo hacerlo, es necesario que me ayudes. / ...
4. Me gustaría visitar la ciudad donde nací, pero no tengo dinero para el viaje. / No tengo dinero para ir a esa ciudad, en la que nací, aunque me gustaría. / ...

I.15.

1. d) para.—2. a) están.—3. d) haya dado.—4. a) hasta que.—1. c) sabía de.—6. d) donde.—7. b) se deja llevar por.—8. c) estando bajo.—9. d) anda preocupado.—10. b) hagan.—11. b) deja de.—12. a) van. / c) iban.—13. b) disculpó.—14. a) pidas.—15. c) tuvieras.—16. d) Ø.—17. a) dado que.—18. b) lleguéis.—19. d) sabría.—20. a) financien.—21. a) cojas.—22. c) hayan concedido.—23. c) había contado.—24. b) no hay más remedio que.—25. c) como.—26. a) de.—27. c) se quedó de piedra.—28. b) será.—29. b) conociéramos.—30. d) vaya.

CICLO II

II.1.2.

1. en.—2. a.—3. en.—4. a.—5. en.—6. a.—7. en.—8. de.—9. de.—10. en.—11. de.—12. a.—13. a.—14. a - a.—15. a.

II.1.3.

1. aun.—2. siempre que.—3. como.—4. como si - aun.—5. ya que.—6. pues.—7. sino.—8. que.—9. si.—10. y por tanto.

II.1.4.

1. tiende a.—2. no cesó de.—3. atender a.—4. inmiscuirnos en.—5. terminará por.—6. aspire a.—7. se aproximaron a / se aproximaban a.—8. se sirvió / se ha servido de / se servirá de.—9. se obstina en.—10. osciló / oscila / ha oscilado entre.

II.1.5.

1. inquilinos.—2. desastre.—3. advierte.—4. a corto plazo.—5. ilimitado - a costa de.—6. trampa / trampas.—7. de hoy.—8. así.—9. incuestionable.— 10. abundancia.—11. librarse de.—12. antes o después - error.—13. frente a.—14. nuestro tiempo.—15. a nuestro gusto.—16. jerarquía.—17. conduce. 18. atender a.—19. exigencias.—20. en la actualidad.—21. habían agotado. 22. permitirá / permite.

II.1.6.

1. apenas.—2. obstinado en.—3. si bien se mira.—4. a palos.—5. se me note.—6. protagonista.—7. a sí mismo.—8. progresaba - retroceder - todo cuanto.—9. punto de vista - afirmaciones.—10. a cual más - compleja.—11. sin duda.—12. como se ve - retrógradas.—13. por el momento / hasta hoy.— 14. lo menos posible.—15. hasta hoy / por el momento.—16. sentido.— 17. deplorable.

II.2.

1. quería.—2. había dicho / dije.—3. llegó.—4. habían vuelto.—5. me alegré.—6. estuviera.—7. temía.—8. pusiera.—9. había sido.—10. estaba— 11. sabiendo.—12. entraría.—13. bajaba.—14. teníamos.—15. daba / había dado.—16. estaba.—17. bajé.—18. encontré.—19. sacó / sacaba.—20. metió / metía.—21. reconocí.—22. había dejado.—23. sentí.—24. había estudiado / habría estudiado.—25. había muerto / habría muerto.—26. debía.—27. apareció.—28. estaba.—29. se detuvo.—30. siguió.—31. cambió.—32. echó. 33. llegó.—34. comenzó.—35. dijo.—36. quería / hubiera querido.—37. obligaron / habían obligado.—38. entramos.—39. avanzaba.—40. llevaba.—41. bailaban.—42. advertí.—43. debía.—44. me acerqué.—45. estaba.—46. me senté.—47. abrí.—48. metí.—49. dije.—50. son.

II.3.

1. está.—2. están.—3. está.—4. está.—5. es - está.—6. están.—7. es - está.
8. estaba.—9. están.—10. fue / ha sido / es / será.—11. fue.—12. sea - es.—
13. está.—14. fue / ha sido / será.—15. estamos / estábamos.

II.4.

1. Aunque estoy terriblemente cansado, iré a recogeros a la estación. / Estoy terriblemente cansado, pero iré a recogeros a la estación. / ...
2. No es muy inteligente; sin embargo, tiene mucha voluntad. / No es muy inteligente, pero tiene mucha voluntad. / ...
3. A pesar de que he puesto la calefacción, sigue haciendo frío. / He puesto la calefacción y, sin embargo, sigue haciendo frío. / ...
4. A pesar de ser muy amigos, no nos vemos a menudo. / Somos muy amigos, pero no nos vemos a menudo. / ...
5. Carlos no rompió la botella, sino Teresa. / Carlos no rompió la botella, sino que lo hizo Teresa. / ...
6. He leído tres veces este artículo y, sin embargo, no lo entiendo. / A pesar de haber leído tres veces este artículo, no lo entiendo. / ...
7. Aunque sé que lo que me has contado es verdad,.me cuesta creerlo. / Aun sabiendo que lo que me has contado es verdad, me cuesta creerlo. / ...
8. Llamamos a Paco para invitarle a cenar, pero no estaba en casa.
9. A pesar de que acaba de llevar el coche al taller, ya se le ha vuelto a estropear. / Acaba de llevar el coche al taller y, sin embargo, se le ha vuelto a estropear. / ...
10. Es un tipo muy agradable, pero no sé qué le debe pasar hoy. / Es un tipo muy agradable. Sin embargo, no sé qué le debe pasar hoy.
11. No nos dijo que fuéramos el lunes, sino el jueves.
12. Aunque ha estado trabajando como un loco toda la tarde, todavía no está cansado. / Todavía no está cansado a pesar de haber estado toda la tarde trabajando como un loco. / ...
13. A pesar de la crisis en el sector, su negocio sigue funcionando la mar de bien. / Dicen que hay crisis en el sector, pero su negocio sigue funcionando la mar de bien. / ...
14. Aunque, según López, Ramón es una persona muy culta, no se nota. / Según López, Ramón es una persona muy culta y, sin embargo, no se nota. / ...

II.5.3.

1. ¡No hay para tanto!—2. ¡Menos mal que...!—3. están de juerga.—4. están armando un jaleo.—5. se quedó con la boca abierta.—6. no quedó / ha quedado / queda más remedio.—7. pone los nervios de punta.—8. estaba hasta la coronilla de.—9. pegar ojo.—10. saca de quicio.—11. menudo.—12. ¡Me van a oír!—13. ¡Serán...!—14. dé la lata.

II.5.4.

1. te negaras.—2. son.—3. fuéramos.—4. soy.—5. digan.—6. diera / hubiera dado.—7. habían sobrado.—8. hablen.—9. hagan.—10. se pase.

II.6.

1. Ten paciencia con el niño.—2. Asistan a la reunión.—3. Siéntate.—4. Haz lo posible para ayudarlo económicamente.—5. Vete ahora mismo.—6. Responda a mi pregunta.—7. Salid de mi despacho.—8. Compórtate mejor.— 9. Levántate a las siete.—10. Quédate un rato más.—11. Ten cuidado en el tren.—12. Sed amables con la tía Luisa.—13. Manténganse en silencio.— 14. Vayámonos de aquí.—15. Portaos correctamente.

II.7. ⌷⌷

1. —¿Qué dices? / ¿Qué crees que es mejor? / ...
   —Que vengas.
2. —¿Pongo esto por aquí? / ¿Quieres que te deje aquí este paquete? / ...
   —Sí, déjalo en la estantería.
3. —¿Cuándo le viste por última vez? / ¿Cuántos años hace que has ido a Granada? / ...
   —Huy, hace mucho tiempo.
4. —¿Lo sabe ya? / ¿Se ha enterado de lo que ha pasado? / ...
   —Creo que todavía no se lo han comunicado.
5. —¿Sabía usted que al Sr. Fernández le han nombrado director? / Fue tal y como te lo he explicado, de verdad. / ...
   —Jamás lo hubiera imaginado.

II.8.

1. Tenía un gran corazón y, por eso, ayudó muchísimo a sus amistades. / Tenía un corazón tan grande que ayudó muchísimo a sus amistades. / ...
2. A principios de mes colocaba su sueldo a plazo fijo. Por lo tanto, apenas disponía de dinero. / A principios de mes colocaba su sueldo a plazo fijo, de modo que apenas disponía de dinero. / ...
3. Surgieron muchas dificultades y, en consecuencia, tuvieron que abandonar el proyecto de irse a vivir a otro país. / Surgieron muchas dificultades, por lo que tuvieron que abandonar el proyecto de irse a vivir a otro país. / ...
4. La alfombra era de segunda mano y, por eso, dio tan mal resultado. / La alfombra era de segunda mano; de ahí que diera tan mal resultado. / ...
5. Rafa cantaba tan mal que, cada vez que lo hacía, su familia se iba a otro sitio con cualquier pretexto. / Rafa cantaba muy mal, tanto que su familia, cada vez que lo hacía, se iba a otro sitio con cualquier excusa. / ...
6. Los trabajadores incumplieron las disposiciones legales; de modo que fueron sancionados. / Los trabajadores incumplieron las disposiciones legales y fueron, por tanto, sancionados. / ...
7. Comió tanto que se empachó. / Comió muchísimo y, por tanto, se empachó. / ...
8. No se entendían y, por lo tanto, iniciaron los trámites de la separación. / No se entendían, de modo que iniciaron los trámites de la separación. / ...
9. En la empresa se lo pidieron y, por eso, se ha sacado el carné de conducir. / En la empresa le pidieron que se sacara el carné de conducir, de modo que se lo sacó. / ...

10. La población ya había vivido esa experiencia en otras ocasiones y, por tanto, estaba aterrorizada. / La población ya había vivido esa experiencia en otras ocasiones, por lo que estaba aterrorizada. / ...
11. Los niños están resfriados. Por eso no podrán disfrazarse. / Los niños están resfriados, o sea, que no podrán disfrazarse. / ...
12. Rosa vive en una casa con jardín. El Carnaval lo celebraremos ahí, pues. / Rosa vive en una casa con jardín; de modo que el Carnaval lo celebraremos ahí. / ...

II.9. 🔾🔾

El catorce de enero de 1922, Emma, al volver de la fábrica de tejidos, halló una carta fechada de Brasil, por la que supo que su padre había muerto. La engañaron, a primera vista, el sello y el sobre; luego, la inquietó la letra desconocida. Nueve o diez líneas borroneadas querían llenar la hoja. Emma leyó que el señor Maier había ingerido por error una fuerte dosis de veronal y había fallecido el tres del corriente en el hospital de Bagé. Un compañero de pensión de su padre firmaba la noticia, un tal Fein o Fain, de Río Grande, que no podía saber que se dirigía a la hija del muerto.

Emma dejó caer el papel. Su primera impresión fue de malestar en el vientre y en las rodillas; luego de ciega culpa, de irrealidad, de frío, de temor; luego, quiso ya estar en el día siguiente. Acto continuo comprendió que esa voluntad era inútil porque la muerte de su padre era lo único que había sucedido en el mundo, y seguiría sucediendo sin fin. Recogió el papel y se fue a su cuarto.

En la creciente oscuridad, Emma lloró hasta el fin de aquel día el suicidio de Manuel Maier, que en los antiguos días felices fue Emmanuel Zunz.

J. L. Borges, Emma Zunz. (Texto adaptado)

1. b) de la fábrica.—2. c) había muerto accidentalmente.—3. b) un compañero de pensión del padre.—4. a) sintió un malestar físico.—5. a) al atardecer.—6. c) se fue a su cuarto.—7. a) su padre se cambió de nombre.

II.11.

1. d) roja.—2. a) hablo.—3. b) cantará.—4. e) polio.—5. a) ceda.—6. b) bailé.—7. d) selló.—8. d) aporto.—9. c) boga.—10. d) para.—11. a) callo.—12. b) vela.—13. b) loca.—14. a) huya.—15. b) iros.—16. b) piña. 17. a) boca.—18. b) cenó.

II.12.

Le pide que en el tren tenga cuidado porque hoy viaja mucha gente y cada cual es de su padre y de su madre y que guarde bien el dinero. Le aconseja que, cuando duerma, se lo ponga atrás, en el bolsillo del trasero. Le pide que, cuando coma, le ofrezca a la gente, pero no mucho porque el viaje es largo y no puede figurarse las porquerías que comen por ahí fuera. Y le aconseja que se abrigue bien porque en el extranjero hace mucho frío y que no salga sin bufanda. Le comenta que le ha puesto una bobina blanca y otra negra, por si acaso se le cae algún botón... Le pide que coma y que mastique bien, despacio, porque, si no, no alimenta y que él ya lo sabe porque es muy tragón... Le pide también que cuando vea a sus hermanos, si Manuel los ve por casualidad, les diga que escriban porque hace tres años uno y cinco que no saben de ellos... Le pide que les escriban y que, si se deja bigote, le mande una foto. Le aconseja que se porte bien para que ella esté muy orgullosa. Le pregunta si lo tiene todo ya. Le comenta que se deja una cosa: un poco de tierra, de su tierra, y le dice que se la lleve. Le pide que no la pierda. Le pide también que le dé un beso a la abuela porque es una pesada y que no tarde, que vuelva pronto, él por lo menos... Le indica que ya está ahí el tren. Y le dice que, si estuviera dormida cuando vuelva, la llame porque esté ella donde esté le oirá llamarla. Y se despide de él.

II.13.

Acababan de dar las doce, de una manera pausada, acompasada y respetable, en el reloj del pasillo. Era costumbre de aquel viejo reloj, alto y de caja estrecha, adelantar y retrasar a su gusto y antojo la uniforme y monótona serie de las horas que va rodeando nuestra vida, para / hasta envolverla y dejarla como a un niño en la cuna.

Poco después de esta indicación amigable del viejo reloj, hecha con la voz grave y reposada propia de un anciano, sonaron las once, de un modo agudo y grotesco, con una impertinencia juvenil, en un relojillo petulante de la vecindad, y unos minutos más tarde, para mayor confusión y desbarajuste cronométrico, el reloj de una iglesia próxima dio una larga y sonora campanada, que vibró durante algunos segundos por / en el aire silencioso.

¿Cuál de los tres relojes estaba en lo cierto? ¿Cuál de aquellas tres máquinas de medir el tiempo tenía más exactitud en sus indicaciones?

II.14.

1. Entrégale a Berta el paquete que está sobre la mesa y que contiene unas revistas porque lo necesita hoy mismo. / Berta necesita que le entregues hoy mismo el paquete de revistas que está sobre la mesa. / ...
2. Ayer me dijiste que no querías confesárselo a Elena porque no estabas de acuerdo. / Aunque no quieras confesárselo a Elena, ayer me dijiste que no estabas de acuerdo. / ...
3. Intenta ver a Leopoldo porque te prestó la tienda de campaña el mes pasado y, por tanto, es preciso devolvérsela. / Intenta ver a Leopoldo porque es preciso que le devuelvas la tienda de campaña que te prestó el mes pasado. / ...
4. Lo mejor es que, aunque esté muy ocupado, intente venir a la reunión. / Está muy ocupado y, sin embargo, intentará venir a la reunión, puesto que es lo mejor.

II.15.

1. a) a.—2. c) aun.—3. c) sepas.—4. c) tomaos.—5. a) impidan.—6. c) hagan lo que hagan.—7. d) por lo que.—8. a) están.—9. d) haga.—10. a) sino.—11. b) está.—12. d) de tanto que.—13. c) repitió.—14. d) dar la

lata.—15. c) vino - d) habías vuelto.—16. b) de.—17. d) sin embargo.—18. a) lo.—19. a) dejádmelo.—20. b) como se ve.—21. d) se le.—22. a) por.—23. b) llaméis.—24. a) complique.—25. a) a.—26. c) a.—27. b) recógeselo.—28. a) está.—29. b) dieran.—30. b) está.

CICLO III

III.1.1.

1. con.—2. para.—3. a.—4. a - a.—5. de.—6. en.—7. de.—8. en.—9. por.—10. en.

III.1.2.

1. no soy el único en.—2. perpleja.—3. inestimable.—4. sugiere - inaudito.—5. me resisto a - cierto que.—6. recién - no bastaba con - aplicaría sus desvelos.—7. por desgracia.—8. cualesquiera que fueren.—9. acaso - nocivo. 10. por si fuera poco.—11. se complace en.

III.1.6.

1. codearse con.—2. ha entrado la manía de.—3. ir al grano.—4. me las salto.—5. resulta que.—6. con eso de que.—7. tipo - se cuadra.—8. no había ni Dios.—9. una especie de.—10. maldito.—11. en contra de.—12. no vale una perra gorda.—13. como bien sabe.—14. te apresures a.—15. la crema y nata.—16. aversión.—17. para ser exactos.—18. entre paréntesis.—19. no falta más que.

III.2.

1. me haya demorado.—2. es.—3. sufrí.—4. quedé / he quedado.—5. pareció / parecía / ha parecido.—6. sabe.—7. es.—8. aprendí / he aprendido.—9. perdonará.—10. hago.—11. hay / ha habido.—12. se fue.—13. retiraron / han retirado.—14. han destinado / destinaron.—15. vino / ha venido.—16. ha ordenado / ordenó.—17. siga / siguiera.—18. sepa / haya sabido.—19. pongo / he puesto.—20. encargó.—21. me he enterado / me enteré.—22. se casó.—23. asistió.—24. estaba / está.—25. han hecho.—26. han cambiado.—27. creo.—28. viven.—29. sé.—30. sigue.—31. sigue.—32. ve.—33. hay.—34. cuídese.—35. echamos.

III.3.

1. Es muy alegre.
2. Está malo, pero no es nada grave.
3. Es de un pueblo de La Mancha.
4. Es sorprendente que actúe de esa forma.
5. Es pintor.
6. La tortilla está demasiado salada.

7. La conferencia será en la sala de actos.
8. No me fue posible ayudaros.
9. Es muy moreno de piel.
10. La próxima reunión será el día 24 a las seis en punto.
11. No pudimos hablar con él porque está fuera de la ciudad.
12. Cuando yo llegué, los demás ya estaban acostados.
13. Los bomberos abrieron la puerta cuando la casa ya estaba ardiendo.
14. Está de contable.
15. Estábamos a punto de decírtelo cuando lo has preguntado.

III.4.

1. Como carecía de vehículo propio, iba siempre a pie. / Iba siempre a pie porque carecía de vehículo propio. / ...
   Carecía de vehículo propio e iba, por lo tanto, siempre a pie. / Carecía de vehículo e iba, pues, siempre a pie. / ...

2. Todos sufrieron mucho en esa época porque la desgracia fue considerable. / Todos sufrieron mucho en esa época, ya que la desgracia fue considerable. / ...
   La desgracia fue considerable, de modo que todos sufrieron mucho en esa época. / La desgracia fue tan considerable que todos sufrieron mucho en esa época. / ...

3. Como Antonio no les caía bien, su presencia les incomodaba. / La presencia de Antonio les incomodaba, puesto que no les caía bien. / ...
   Antonio no les caía bien. Su presencia les incomodaba, pues. / Antonio no les caía bien, así que su presencia les incomodaba. / ...

4. Al no saber francés, en París apenas hablaba. / Apenas hablaba en París porque no sabía francés. / ...
   No sabía francés y, por eso, en París apenas hablaba. / No sabía francés, de manera que en París apenas hablaba. / ...

5. Como hace unos días han iniciado una campaña de limpieza, Barcelona está más limpia. / Barcelona está más limpia, ya que hace unos días han iniciado una campaña de limpieza. / ...
   Hace unos días han iniciado una campaña de limpieza y, en consecuencia, Barcelona está más limpia. / Hace unos días han iniciado una campaña de limpieza y, por eso, Barcelona está más limpia. / ...

6. Pasaba todo el día en casa, ya que conocía a muy poca gente. / Pasaba todo el día en casa porque conocía a muy poca gente. / ...
   Conocía a muy poca gente, por lo que pasaba todo el día en casa. / Conocía a tan poca gente que pasaba todo el día en casa. / ...

7. Dado que no pagó los impuestos, el inspector de Hacienda fue a su casa. / El inspector de Hacienda fue a su casa porque no había pagado los impuestos. / ...
   No pagó los impuestos. El inspector de Hacienda fue, pues, a su casa. / No pagó los impuestos, así que el inspector de Hacienda fue a su casa. / ...

8. Rafael no dispone de medios económicos porque está parado. / Rafael no dispone de medios económicos por estar parado. / ...

Rafael está parado, o sea que no dispone de medios económicos. / Rafael está parado y, por lo tanto, no dispone de medios económicos.
9. Como Joaquín es médico, podrá hacerte una receta. / Joaquín, siendo médico, podrá hacerte una receta. / ...
Joaquín es médico, así que podrá hacerte una receta. / Joaquín es médico, de manera que podrá hacerte una receta. / ...
10. Se quedó en los huesos porque hizo un régimen de adelgazamiento. / Se quedó en los huesos, ya que hizo un régimen de adelgazamiento. / ...
Hizo un régimen de adelgazamiento y, por eso, se quedó en los huesos. / Hizo un régimen de adelgazamiento y de ahí que se quedara en los huesos. / ...

III.5.3.

1. empiece.—2. montamos / montaremos.—3. resbalaba / resbalara - estaba.— 4. es.—5. vendrán.—6. pudiera—7. se pasara - criticara.—8. armaran.— 9. fuera.—10. hayan.—11. pudiera.—12. dijeran.

III.5.4.

1. ha dado por.—2. estoy hecho una porquería.—3. se ha vuelto.—4. frotas.—5. dejadez.—6. potingues.—7. un montón.—8. acomplejarte.—9. me temo.—10. a diestra y siniestra.—11. grasientos.—12. es el colmo.

III.6.

1. ¡Que no tengas que arrepentirte de todo esto!
2. ¡Que avise inmediatamente a una ambulancia!
3. ¡Que encontréis una solución satisfactoria para todos!
4. ¡Que no vuelva a verles por aquí!
5. ¡Que envíen este paquete a Zaragoza!
6. ¡Que se tome este calmante!
7. ¡Que te acuestes para descansar un rato!
8. ¡Que no me mires así!
9. ¡Que ponga más interés en lo que hace!
10. ¡Que no digas esas cosas!
11. ¡Que no nos interrumpan continuamente!
12. ¡Que estén de acuerdo con nosotros!

III.7. 🔲

1. —¿Verdad que fue muy interesante la conferencia? / ¿Fue grave el accidente? / ...
—Sí, lo fue.
2. —¿Sabes que Margarita se va a casar? / ¿Te has enterado de que se va a vivir a Inglaterra? / ...
—No, no lo sabía.
3. —¿Hace mucho que están ahí dentro? / ¿Qué están haciendo? / ...
—Llevan una hora hablando.

4. —¿Usted cree que se dio cuenta? / Yo no creo que notara que estábamos hablando de él... / ...
    —Claro que se dio cuenta.
5. —¿Verdad que no les gusta mucho este hotel? / ¿Tú crees que les parece bonito el sitio ese? / ...
    —No les gusta en absoluto.

III.8.

1. Debemos regar las plantas para que no se mueran.
2. Necesito harina para poder hacer un pastel.
3. Ponle el abrigo a tu hermano para que no se resfríe.
4. Vigile a su marido para que no recaiga.
5. Han de revisar bien el proyecto a fin de que la empresa no se hunda.
6. Hablad más bajo para que no protesten los vecinos.
7. Ese abogado debería ponerse de acuerdo con su cliente a fin de que éste no se contradiga.
8. Di la verdad para que todos salgamos ganando.
9. Necesitan conseguir un crédito para comprarse una casa.
10. Improvisa una cena para que podamos tomar algo.
11. Pensad en lo que decís para no liaros.
12. Arregla el tocadiscos para que podamos escuchar discos.
13. Tenemos que ir a comprar para poder merendar algo.
14. Haz mucha publicidad para que vaya mucha gente a tu conferencia.

III.9. ⌐⊙⊙¬

De mi niñez no son precisamente buenos recuerdos los que guardo. Mi padre se llamaba Esteban Duarte Diniz, y era portugués, cuarentón cuando yo niño, y alto y gordo como un monte. Tenía la color tostada y un estupendo bigote negro que se echaba para abajo. Según cuentan, cuando joven le tiraban las guías para arriba, pero, desde que estuvo en la cárcel, se le arruinó la prestancia, se le ablandó la fuerza del bigote y ya para abajo hubo de llevarlo hasta el sepulcro. Yo le tenía un gran respeto y no poco miedo, y siempre que podía escurría el bulto y procuraba no tropezármelo; era áspero y brusco y no toleraba que se le contradijese en nada, manía que yo respetaba por la cuenta que me tenía. Cuando se enfurecía, cosa que le ocurría con mayor frecuencia de lo que se necesitaba, nos pegaba a mi madre y a mí las grandes palizas por cualquier cosa.

Camilo José Cela, Pascual Duarte. (Texto adaptado)

III.11. ⌐⊙⊙¬

1. c) mirra.—2. b) venia.—3. c) sumó.—4. b) allí.—5. b) rama.—6. b) bote.—7. a) índico.—8. c) cardó.—9. a) pardo.—10. c) lloro.—11. c) pacifico.—12. a) se ha roto.—13. c) diagnosticó.—14. c) ceno.—15. b) digiero.—16. c) coro.—17. c) gasto.—18. b) se ha pesado.—19. b) duelo.—20. a) sima.

III.12.

Le pidió a su hermana que perdonara que no le hubiera escrito durante tanto tiempo. Le dijo que suponía que estaría despotricando de su hermanita que la quería tanto y preguntándose por qué la tonta de Pocha no le contaba cómo le había ido allá, cómo era / es la Amazonia. Se excusó diciendo que, aunque desde que había llegado, había pensado mucho en Chichi y la había extrañado horrores, no había tenido tiempo para escribirle y tampoco ganas y le pidió que no se enojara, diciéndole que le iba a contar por qué. Le explicó que resultaba que Iquitos no la había tratado muy bien, que no estaba muy contenta con el cambio, que las cosas ahí iban saliendo mal y raras. Le aclaró que no quería decirle que esa ciudad fuera más fea que Chiclayo, sino al contrario. Le explicó que, aunque era chiquita, era alegre y simpática y que lo más lindo de todo era la selva y el gran río Amazonas, que siempre había oído que era enorme como el mar, que no se veía la otra orilla y mil cosas, pero que en realidad no se podía imaginar hasta que se veía de cerca y que era lindísimo.

(...)

Le comentó que ya se le había dormido la mano, que ya estaba oscuro y que debía ser tardísimo. Bromeó diciendo que tendría que mandarle esa carta en baúl para que cupiera. Le pidió que le contestara rapidito, larguísimo como ella y con montones de chismes. Le preguntó si seguía siendo Roberto su enamorado o ya había cambiado. Le pidió que se lo contara todo y le aseguró que en el futuro le escribiría seguidito.

Le envió miles de besos diciéndole que la extrañaba y quería.

III.13.

1. a) correcta. b) incorrecta. c) correcta. d) correcta. e) correcta.—2. a) correcta. b) correcta. c) incorrecta.—3. a) correcta. b) correcta. c) incorrecta. d) correcta.—4. a) correcta. b) incorrecta. c) correcta. d) incorrecta.

III.14.

1. Debes decirme lo que sabes que me interesa. / Como me interesa lo que sabes, debes decírmelo. / ...
2. Está muy preocupado porque he notado que esta mañana estaba de muy mal humor. / Esta mañana estaba de tan mal humor y tan preocupado que (hasta) yo lo he notado. / ...
3. Hemos recibido la postal que esperábamos en la que nos comunican buenas noticias. / Nos comunican buenas noticias en la postal que hemos recibido y que estábamos esperando. / ...
4. Inician un cursillo que te interesará cuyo tema es muy polémico y al que asistirá mucha gente. / Aunque asistirá mucha gente, te interesará lo polémico del tema del cursillo que inician. / ...

III.15.

1. c) con.—2. a) está.—3. b) pudiera.—4. d) es un dejado.—5. c) está.—6. d) por.—7. b) se la.—8. b) haya avisado.—9. a) a.—10. a) estaban.—11. c) no había ni Dios. —12. d) excepto que.—13. b) no vale una perra gorda.—14. d) servirían.—15. d) por.—16. b) es.—17. b) habían suspen-

dido.—18. a) para que.—19. c) en vista de que.—20. c) resulta que.—21. c) en.—22. a) me.—23. c) hagas.—24. a) contara.—25. c) paséis.—26. c) entre paréntesis.—27. a) pues.—28. d) esté.—29. b) si llego a saber que.— 30. b) a fin de.

CICLO IV

IV.1.1.

1. de.—2. de.—3. a.—4. de - a.—5. en.—6. en.—7. con.—8. por.—9. con.—10. con.—11. de.—12. a.—13. de.—14. de.—15. a.—16. de.— 17. de.—18. a.

IV.1.2.

1. ¡Cuanto tiempo!—2. ¿Qué tal te ha ido?—3. en el fondo.—4. ¿Qué me cuentas?—5. Por cierto.—6. ¿A que sí?—7. déjame de puñetas.—8. por alguna razón.—9. no es ninguna vergüenza.—10. vaya con.—11. es un decir.—12. si quieres que te diga la verdad.—13. no tienes por qué - por si te sirve de consuelo.—14 bien mirado.

IV.1.3.

1. hombro - codo.—2. ingenuo.—3. encerrado.—4. puñetazo - valió.—5. reconocido.—6. fundaron.—7. pausa.—8. resbalar.—9. temporada.—10. añadir.—11. alguno.—12. disimular.—13. inmutarse.—14. atracar.—15. superioridad.—16. se acerca.—17. desgana.—18. mentira - razones.—19. inclinas. 20. moralmente.—21. fijamente.

IV.1.6.

1. ser.—2. está.—3. estuvo.—4. es.—5. fue / fuera.—6. fuera / hubiera sido.—7. era.

IV.2.

1. se levantó / se había levantado.—2. salió / había salido.—3. miró / miraba.—4. traía.—5. parecía.—6. trepara / trepaba.—7. avanzó.—8. tenía.— 9. prestaba.—10. parecía.—11. deseara / deseaba.—12. era.—13. tendía.— 14. tuviera.—15. temblaba.—16. ponían.—17. arrastraba.—18. sintió / sentía.—19. se estremeció / estremecía.—20. continuó.—21. notó / notaba.— 22. quemaba.—23. se detuvo.—24. escupió.—25. expulsó.—26. supo.

IV.3.

1. Mi familia estará en casa dentro de un mes.
2. El mitin fue en una sede sindical.
3. Últimamente está muy débil.
4. Los obreros estuvieron una semana de brazos cruzados.

5. Anita es muy coqueta.
6. Les cuesta mucho estar de acuerdo sobre este tipo de cuestiones.
7. Está de guarda en un aparcamiento.
8. No he estado nunca en Granada.
9. La casa de Ignacio está muy bien porque está construida con muy buenos materiales.
10. Juana, al principio, es muy antipática, pero con el tiempo es una persona muy agradable.

IV.4.

1. El hecho de que sea muy amable con todos hace que sus vecinos le aprecien mucho. / Su amabilidad hace que sus vecinos le aprecien mucho.
2. El hecho de que los carriles fueran muy anchos hizo que se pudiera evitar el accidente. / La anchura de los carriles hizo que se pudiera evitar el accidente.
3. El hecho de que la empresa quebrara hizo que doscientos trabajadores quedaran en la calle. / La quiebra de la empresa hizo que quedaran doscientos trabajadores en la calle.
4. El hecho de que fuera un terco y un dogmático hizo que jamás cambiara de ideas. / Su terquedad y dogmatismo hicieron que jamás cambiara de ideas.
5. El hecho de que no tenga ni pizca de espíritu práctico hace que las cosas siempre le salgan mal. / Su falta de espíritu práctico hace que las cosas siempre le salgan mal.
6. El hecho de que hubiera demasiada luz hizo que las fotos no salieran bien. / El exceso de luz hizo que las fotos no salieran bien.
7. El hecho de que desconfíe de todo el mundo hace que no tenga amigos. / Su desconfianza de todo el mundo hace que no tenga amigos.
8. El hecho de que su trabajo fuera intachable hacía que tuviera muy buena fama en la empresa donde trabajaba. / El hecho de que trabajara de un modo intachable hacía que tuviera muy buena fama en la empresa donde trabajaba.
9. El hecho de que haya demasiada gente hace que la Plaza Cataluña no sea atractiva. / El exceso de gente hace que la Plaza Cataluña no sea atractiva.
10. El hecho de que el jefe se niegue siempre a aceptar sus peticiones hace que los empleados lo desprecien. / La sistemática negativa del jefe a aceptar las peticiones de sus empleados hace que éstos lo desprecien.

IV.5.4.

1. Si heredamos del tío Juan, mejorará nuestra situación. / ...
2. De aumentarme el sueldo, no viviríamos amontonados. / ...
3. Pagaremos la entrada del piso, siempre que consigamos un préstamo. / ...
4. Como acertemos una buena quiniela, pagamos las letras pendientes. / ...
5. Si encontráramos otro empleo, nos mudaríamos de casa. / ...
6. Si dispusiéramos de mucho espacio, los niños podrían tener una habitación cada uno. / ...

7. Si no viviéramos los unos encima de los otros, te llevaría el desayuno a la cama. / ...
8. De no ser familia numerosa, no tendríamos este problema. / ...
9. Si el hermano Perico no estuviera en Estados Unidos, el padre viviría con él. / ...
10. Si los abuelos cobraran una jubilación decente, podrían tener casa propia. / ...

IV.6.

1. Por mucho que insistas no conseguirás convencerle. / Por muy insistente que te muestres, no conseguirás convencerle.
2. Por muy inteligente que sea, su jefe no se da cuenta. / Por mucha inteligencia que tenga, su jefe no se da cuenta.
3. Por mucho calor que haga, ponte una chaqueta porque por la noche refresca.
4. Por muy simpático que parezca, la verdad es que tiene muy mal genio. / Por mucho que pretenda ser simpático, la verdad es que tiene muy mal genio.
5. Por mucho que la prensa haya informado sobre este tema, yo todavía no lo veo claro. / Por mucha información que haya habido en la prensa sobre este tema, yo todavía no lo veo claro.
6. Por más que corra todas las mañanas, no logro adelgazar un kilo. / Por mucho «footing» que haga cada mañana, no logro adelgazar un kilo.
7. Por muy culto que se esfuerce en parecer, se le nota que su formación es muy deficiente. / Por más que aparente ser culto, se le nota que su formación es muy deficiente.
8. Por muy desagradable que te resulte este asunto, no hay más remedio que discutirlo en la reunión del jueves. / Por mucho que te desagrade este asunto, no hay más remedio que discutirlo en la reunión del jueves.
9. Por mucha ropa que tenga, no sabe arreglarse. / Por mucho que se compre ropa, no sabe arreglarse.
10. Por muy lejos que viva, siempre llega puntual a la oficina / Por mucha distancia que haya de su casa a la oficina, siempre llega puntual.
11. Por muy soso que te parezca a primera vista, es una persona muy interesante. / Por más que te parezca soso a primera vista, es una persona muy interesante.
12. Por más que intente estar alegre, yo sé que anda muy deprimido. / Por más alegría que aparente, yo sé que anda muy deprimido.

IV.7. 🔲

1. —¿A que estáis contentos con los resultados? / ¿Estáis cansados?
   —Sí, lo estamos.
2. —¿Le han dado el recibo a la Sra. Puente? / ¿Gabriel tiene ya el cheque? / ...
   —No, no se lo hemos dado.
3. —¿Os han enseñado el piso? / ¿Habéis visto el coche que se han comprado? / ...
   —No, todavía no nos lo han enseñado.

4. —¿Vosotros sabíais que el examen era hoy? / No nos dijisteis lo de Alberto. / ...
    —Sí, os lo dijimos ayer.

5. —Es mentira. Nadie nos dijo nada. / ¿Verdad que nadie comentó que teníamos que venir?
    —No, os lo avisaron.

IV.8.

1. por.—2. salvo que.—3. no porque.—4. a pesar de.—5. si / ya que.—6. de.—7. aun - de modo que / así que.—8. como si.—9. pues.—10. como / en cuanto.—11. en cuanto / así que.—12. mientras - pero.—13. que.—14. tal que.—15. dónde.—16. ya que / si.—17. así que / de modo que.—18. a pesar de que.

IV.9. 🔲

El recluso Pacífico Pérez falleció en el Sanatorio Penitenciario de Navafría, donde cumplía condena, el 13 de septiembre de 1969. Ocho años antes fue condenado a muerte en garrote por el Tribunal que le juzgó, pena que le fue conmutada por la de treinta años de reclusión por clemencia del Jefe del Estado.

El día once de septiembre del mencionado año, el recluso Pacífico Pérez sufrió, con brevísimas intermitencias, tres hemoptisis, por lo que fue internado en la enfermería del penal y sometido a tratamiento de urgencia. A requerimiento suyo, fueron avisados su padre, don Felicísimo Pérez, y su tío, don Francisco Pérez, entrevistas a las que asistió el que suscribe por voluntad expresa del finado. En presencia de sus familiares, el susodicho Pacífico Pérez, manifestó al que suscribe, que dado el tiempo transcurrido y si éste era su deseo, podía dar a la estampa las conversaciones sostenidas entre ambos ocho años atrás, actitud que ratificó rubricando la correspondiente autorización.

Seguidamente, el finado se dirigió con voz muy débil a su tío, don Francisco Pérez, y le dijo con un leve matiz de reproche: «Estaba usted equivocado, tío; del suelo sí se puede pasar», a lo que el aludido asintió, asentimiento que el recluso Pacífico Pérez acogió con una lejana sonrisa.

A continuación, se dirigió a su padre, don Felicísimo Pérez, expresando su deseo de contraer matrimonio con la señorita Cándida Morcillo. Acto seguido, a petición propia, el finado confesó y recibió la Comunión con plena lucidez, entrando una hora más tarde en estado de coma, pese a lo cual, don Anastasio Gómez, capellán de la prisión, tan pronto compareció la señorita Cándida Morcio, les bendijo «in articulo mortis», asistiendo a la ceremonia como testigos, ante la negativa reiterada de don Felicísimo Pérez, el tío del finado, don Francisco Pérez y el que estas líneas suscribe.

M. DELIBES, *Las guerras de nuestros antepasados.* (Texto adaptado)

IV.11. 🔲

1. a) limite.—2. c) loza.—3. a) vómito.—4. c) tiró.—5. c) caso.—6. b) perra.—7. b) basto.—8. a) poro.—9. c) lloró.—10. a) hiena.—11. b) valía.—12. d) cebo.—13. c) irá.—14. c) lleve.—15. a) cero.—16. a) curo.—17. a) hallo.—18. c) coro.

IV.12.

—Servíos más coñac y más añís —insistió Teresa.

—Igual nos vamos a Alemania a trabajar en una fábrica de óptica de no sé qué ciudad. A un buen técnico como Juan le pagan barbaridades. Lo sabemos por unos que ya están ahí —anunció el hermano de Leo.

—No es que estemos decididos, pero es que esto ya no se puede aguantar. Nadie se mueve ni hace nada y eso es lo que quieren los capitalistas, que el obrero piense un poco, se canse y se vaya al extranjero —comentó Juan.

IV.13.

La Guardia Urbana ha intervenido este fin de semana un pastel de nata de grandes proporciones, que iba destinado a uno de los detenidos en el Depósito Municipal de presos, en el interior del cual se encontraban diez cápsulas conteniendo heroína.

El pastel de nata, que fue entregado junto con dos otras tartas en la Jefatura de la Policía Municipal de Sabadell por J.T.M., vecino de Cerdeñola, iba destinado al detenido E.C. Estaba envuelto en el papel habitual de un establecimiento muy céntrico, pero levantó las sospechas de los guardias porque se notaba que había sido abierto por la mitad. Los guardias procedieron a trocear la tarta, descubriendo en su interior (las) diez cápsulas que contenían (la) droga en polvo.

IV.14.

1. Es absurdo que me moleste que no digas la verdad. / Me molesta que no digas la verdad porque es absurdo. / ...
2. Aunque tenía mucho cuidado con el encendedor que me regaló Antonio, el jueves me di cuenta de que lo había perdido el miércoles. / Por más cuidado que tenía con el encendedor que me regaló Antonio, lo perdí el miércoles, a pesar de que me di cuenta el jueves. / ...
3. Como está muy aburrido porque no tiene amigos en la ciudad, el domingo salió con esa chica que tú le presentaste, pero no le cayó bien. / El hecho de que no le cayera bien la chica que tú le presentaste con la que salió el domingo hace que esté muy aburrido, ya que no tiene amigos en la ciudad. / ...
4. No recuerdo que Jorge contara algo que me interesara. / Lo que contó Jorge, aun interesándome, no lo recuerdo. / ...

IV.15.

1. b) te acuerdas de.—2. b) alguna.—3. a) derroche.—4. b) disimular.—5. c) unas - b) las.—6. d) una temporada.—7. c) por mucho que.—8. c) salvo que.—9. d) había hecho.—10. a) no porque.—11. c) había decidido.—12. b) así que.—13. b) está.—14. c) ¿qué cuentas?—15. a) oía - b) estaba. 16. c) un.—17. b) metan.—18. d) como si.—19. b) vaya.—20. a) conseguirán.—21. c) de.—22. d) por lo que.—23. b) estemos.—24. a) un.—25. d) conoce - b) comunique.—26. c) den.—27. a) por.—28. d) veas.—29. c) el hecho de que.—30.—b) a.

CICLO V

V.1.1.

1. humor.—2. contribuciones.—3. explosión.—4. ausencia.—5. espectáculos.—6. inagotable - chistes.—7. hacerte confidencias.—8. pronuncia.—9. indispensable.—10. cosas que hacer.—11. pobreza / miseria.—12. por espacio de.—13. sensibilidad.—14. compensaba.—15. parientes.—16. con ventaja.—17. formaba.—18. tendencia.—19. único.—20. acabaría mal / iba a acabar mal.—21. se emborrache.—22. popular.—23. miseria / pobreza - por eso.—24. ciertos.—25. el revés - cada.—26. anual.—27. ocasión.

V.1.2.

1. acontecimiento.—2. público / municipal.—3. hemos dejado de ser.—4. comilona.—5. entero.—6. mercados / barrios - pueblo.—7. ceremonia.—8. cualquier pretexto es bueno.—9. interrumpir.—10. beneficiar.—11. violento. 12. agria.—13. objetos—14. apartado.—15. empujéis.—16. se conserva intacto.—17. se reconciliaron.—18. barrio.—19. ingresos - municipal.—20. hace años.—21. tanto como / en lugar de.—22. volver a ser.—23. no basta con.—24. en lugar de.

V.1.3.

1. en - de.—2. en.—3. en.—4. de.—5. por - de.—6. a.—7. en.—8. de - en.—9. sin.—10. en.—11. de.—12. de.

V.1.5.

1. será / es.—2. estar.—3. son.—4. sea / es.—5. será / es.—6. es.—7. sea. 8. es.—9. es.—10. está.

V.2.

1. pasaba.—2. se oyeran.—3. comentaban.—4. leía.—5. se levantaba.—6. desayunaba.—7. recogía.—8. decía.—9. eran.—10. se quejaba.—11. amanecía.—12. venían.—13. tenía.—14. se sentaba.—15. hacía.—16. conversaban.—17. contó.—18. podía.—19. fuese / era.—20. se toqueteba.—21. hizo.—22. aseguró.—23. se metieran / se metían.—24. se molestaba.—25. eran.—26. debía / debería.—27. salía.—28. decía.—29. caía.—30. se quedaba.—31. no tardaba—32. oírse.—33. daba.

V.3.

1. fue.—2. estaba / está.—3. estamos.—4. estaba.—5. estás.—6. fueron.—7. es / será - estoy.—8. estuvo.—9. fue / había sido.—10. sea / será.—11. está.—12. están.—13. fue - estaba.—14. está - está / estará.—15. está.

V.4.

1. Fue el cheque lo que le dio anteayer Gabriel a Tomás en el despacho.
   Fue anteayer cuando Gabriel le dio a Tomás el cheque en el despacho.

Fue en el despacho donde Gabriel le dio el cheque a Tomás anteayer.

Fue a Tomás a quien/al que le dio Gabriel el cheque anteayer en el despacho.

Fue Gabriel quien le dio el cheque a Tomás en el despacho anteayer.

2. Fue este artículo el que/lo que se publicó el año pasado en una revista de Zaragoza.

Fue en una revista de Zaragoza donde se publicó este artículo el año pasado.

Fue el año pasado cuando se publicó este artículo en una revista de Zaragoza.

3. Fue Emilio quien/el que se puso enfermo durante el viaje.

Fue durante el viaje cuando Emilio se puso enfermo.

Enfermo fue lo que se puso Emilio durante el viaje.

4. Ha sido Cecilia quien/la que ha prestado la moto a Lola esta mañana.

Ha sido a Lola a quien le ha prestado la moto Cecilia esta mañana.

Ha sido la moto lo que le ha prestado Cecilia a Lola esta mañana.

Ha sido esta mañana cuando Cecilia le ha prestado la moto a Lola.

5. Fue en Sevilla donde hicieron una reunión muy importante hace dos meses.

Fue hace dos meses cuando hicieron una reunión muy importante en Sevilla.

Fue una reunión muy importante la que/lo que hicieron en Sevilla hace dos meses.

6. Fue a Magdalena a quien/a la que vi por última vez en la costa durante las vacaciones.

Fue durante las vacaciones cuando vi a Magdalena por última vez en la costa.

Fue en la costa donde vi a Magdalena por última vez durante las vacaciones.

Fui yo quien vio por última vez durante las vacaciones a Magdalena en la costa.

7. Fue María Luisa quien/la que me explicó el problema de Teresa el domingo por la noche en el bar de Jaime.

Fue el problema de Teresa lo que me explicó María Luisa el domingo por la noche en el bar de Jaime.

Fue en el bar de Jaime donde María Luisa me explicó el problema de Teresa el domingo por la noche.

Fue el domingo por la noche cuando María Luisa me explicó el problema de Teresa en el bar de Jaime.

Fue a mí a quien María Luisa explicó el problema de Teresa el domingo por la noche en el bar de Jaime.

8. Era Enrique el que/quien participaba en primavera en el simposium de Tarragona.

Era en el simposium de Tarragona en el que participaba Enrique en primavera.

Era en primavera cuando Enrique participaba en el simposium de Tarragona.

9. Fueron los Grau quienes/los que consiguieron un premio en el concurso del sábado.

Fue un premio lo que consiguieron los Grau en el concurso del sábado.
Fue en el concurso del sábado donde/cuando consiguieron un premio los Grau.

10. Es a las diez y media cuando nos encontraremos con Julián en la estación.
Es en la estación donde nos encontraremos con Julián a las diez y media.
Es con Julián con quien/el que nos encontraremos en la estación a las diez y media.

V.5.5.

1. funcione.—2. digan--vuelvan.—3. se dispone - estén.—4. está - han colado.—5. se han rellenado / se hayan rellenado - se dedican - olvide / haya olvidado.—6. espera - surgirán / van a surgir.—7. se ciña - pase - pase.—8. acabe - pueda.—9. se agilice / se agilizara - toque - sea.

V.6.

1. Como no se dé prisa, perderá el tren.
2. Salvo que surjan/surgieran inconvenientes imprevistos, nos reuniremos el día 27.
3. Cuando estoy mucho rato de pie, me duele la espalda.
4. Si no cumple su palabra, me va a oír.
5. Mientras se encuentre enfermo, no debería ir a la escuela.
6. Si acepta algunos de mis puntos de vista, trabajaremos juntos.
7. Mientras esté de mal humor, no le contradigas.
8. Con tal de que no se lo digas a nadie, te lo contaré todo.
9. Sin consultárselo a Guerrero, no podéis decidir nada.
10. De saber que era tan aburrido, no vengo.
11. Como no salgamos pitando, seguro que llegamos tarde.
12. De encontrarte mal, no dudes en llamarme y vendré volando.

V.7. 🔲

1. —¿Qué opinas de lo del viaje de Pepe? / ¿Qué te parece el resultado de la votación? / ...
—Me parece bien.
2. —¿Qué quieres? / ¿Qué has dicho? / ...
—Que me escuches.
3. —¿Verdad que a su señora le encantan las gambas? / Me parece que a Pablo le entusiasman las novelas de espías. / ...
—Sí, le gustan mucho.
4. —Tenemos que arreglarle el televisor a Carlos. / Rafael tiene el coche estropeado. / ...
—Ya se lo han arreglado.
5. —¿Están frías las tostadas? / Tus vecinos están enfadados conmigo, ¿verdad? / ...

V.8.

1. Hacia las cinco se puso a llover y decidimos regresar a casa.
2. Vais a ver cómo Eulalia se va a enfadar cuando sepa que no la hemos esperado.
3. Está muy angustiado porque lleva seis meses buscando trabajo y no encuentra / porque anda buscando trabajo desde hace seis meses y no encuentra.
4. ¡Qué bien! Ya ha dejado de dolerme la barriga.
5. A pesar de lo que me has contado sigo pensando que no hiciste lo que debías / no he dejado de pensar que no hiciste lo que debías.
6. Eduardo suspendió el examen de entrada a la Universidad el año pasado. Este año se vuelve a presentar / volverá a presentarse.
7. Cuando usted ha llegado, el Sr. Ramírez acababa de salir hacia su casa.
8. Entre una cosa y otra Gustavo vendrá a ganar cien mil pesetas al mes.
9. Jacinto y Ana no se entienden. Siempre andan peleándose.
10. Al principio la ciudad me desagradaba, pero me fui acostumbrando y acabó gustándome.
11. Este cantante me entusiasma. Voy comprando todos los discos que salen.
12. A mi entender, últimamente, la prensa viene trayendo noticias alarmantes.

V.9. ⟨oo⟩

Empezaron por quitarle la pipa de la boca.

Los zapatos se los quitó él mismo, apenas el hombre de blanco miró hacia abajo.

Le quitaron la noción del cumpleaños, los fósforos y la corbata, la bandada de palomas en el tejado de la casa vecina. El disco del teléfono, los pantalones.

El ayudó a salirse del saco y los pañuelos. Por precaución le quitaron los almohadones de la sala y esa noción de que Ezra Pound no era un gran poeta.

Les entregó voluntariamente los anteojos de ver de cerca, los bifocales y los de sol. Los de luna casi no los había usado y ni siquiera los vieron.

Le quitaron el alfabeto y el arroz con pollo, su hermana muerta a los diez años, la guerra de Vietnam y los discos de Earl Hines. Cuando le quitaron lo que faltaba —esas cosas llevan tiempo, pero también se lo habían quitado—, empezó a reírse.

Le quitaron la risa y el hombre de blanco esperó, porque él sí tenía todo el tiempo necesario.

Al final pidió pan y no le dieron, pidió queso y le dieron un hueso.

Lo que sigue lo sabe cualquier niño, pregúntele.

J. CORTÁZAR, *Territorios*. (Texto adaptado)

V.11. ⟨oo⟩

1. c) ¿Habla italiano?—2. d) No, ¿es suyo?—3. a) No, le gusta.—4. b) ¡Si os lo dimos ayer!—5. a) Lo has visto.—6. b) ¡Qué hora es!—7. b) Si quiero leer...—8. a) ¿Cuánta gente?—9. b) ¿No lo quieres?—10. b) ¡Que paso!

V.12.

Serafín el Bonito le preguntó a Max cómo se llamaba y éste le contestó que su único nombre era Máximo Estrella, su seudónimo Mala Estrella y añadió que tenía el honor de no ser académico. Serafín el Bonito le indicó que estaba propasándose y preguntó a los guardias por qué iba detenido. Un guardia le respondió que por escándalo en la vía pública y gritos internacionales y señaló que Max estaba algo briago. Serafín le preguntó a Max cuál era su profesión y éste respondió que era cesante. Entonces Serafín le preguntó en qué oficina había trabajado y Max dijo que en ninguna. Serafín le preguntó si no había dicho que era cesante y Max respondió que era cesante de hombre libre y pájaro cantor y preguntó si no se veía vejado, vilipendiado, encarcelado, cacheado e interrogado. Serafín le preguntó dónde vivía y Max contestó que vivía en Bastardillos esquina a San Cosme y que era un palacio. Un guindilla le pidió que dijera casa de vecinos y Max le contestó que donde él vivía siempre era un palacio, a lo que el guindilla respondió diciendo que no lo sabía y Max, insultándolo, le dijo que no lo sabía porque él no sabía nada. Serafín le dijo a Max que quedaba detenido y éste le preguntó a Latino si había algún banco donde pudiera echarse a dormir.

V.13.

1. Las revistas que había solicitado no las recibí. Sólo recibí un catálogo.
2. El número de teléfono de Juana pídeselo a Jaime. Yo no lo tengo.
3. Todo el viaje lo hicimos en autobús, no sólo de Madrid hasta aquí.
4. El tocador de Nuria lo compró en un anticuario. El resto era de mi abuela.
5. Los bombones se los comió Margarita, no los niños.
6. Seguramente a Manuel le interesará este artículo.
7. Cogí la maleta negra y las otras las dejé en el maletero del coche.
8. Enojado contigo Luis no lo está, pero sí algo molesto.
9. A los Marín los vemos a menudo; en cambio a los Santos nunca.
10. Las diez primeras páginas las he leído, pero no el resto.
11. Reconozco que de muy buen humor no (lo) estoy estos días.
12. La culpa del accidente la tuvo el camión. Yo iba por mi derecha.
13. Que no teníamos ganas de ir a Mallorca se lo dije a Alfredo, pero a nadie más.
14. El brazo Alberto se lo rompió esquiando.
15. Estas patatas no puedo comérmelas. Las chuletas, en cambio, están buenísimas.

V.14.

1. Emilio me dijo que no sabía nada de lo de Matilde, lo que, como son íntimos amigos, me extraña mucho. / Me extraña mucho que Emilio me dijera que eran íntimos amigos si no sabe nada de lo de Matilde. / ...
2. Tú podrías ir a llevarle a Pepa estos documentos porque, aunque se lo prometí, yo no tengo tiempo. / Prometí llevarle a Pepa estos documentos que necesita hoy mismo, pero como yo no tengo tiempo, podrías ir tú. / ...
3. A pesar de que no era muy bueno, le publicaron su artículo porque, tal como él me confesó, conocía al director del periódico. / Él me confesó que

conocía al director del periódico y que, por eso, aun no siendo muy bueno, le publicaron el artículo. / ...

4. Dado que ha habido numerosos accidentes de trenes este año, que han causado varios muertos y centenares de heridos, es evidente que el gobierno debería tomar medidas. / El hecho de que haya habido numerosos accidentes de trenes este año que han causado varios muertos y centenares de heridos hace que sea evidente que el gobierno debe tomar medidas. / ...

V.15.

1. d) en... de.—2. c) tanto como.—3. b) estaba.—4. b) sin.—5. c) ni siquiera.—6. a) cualquier.—7. b) con - b) un.—8. c) al final.—9. d) andan.—10. c) sea.—11. a) están.—12. c) como.—13. a) que lo que.—14. c) esté. 15. c) ser.—16. c) los que - b) lo que.—17. a) cogía.—18. d) le.—19. c) han sido difundidos.—20. a) a quienes.—21. c) con la de.—22. b) venden.—23. d) callaran - a) daba.—24. d) vienen.—25. a) para.—26. b) donde.—27. a) haya dicho.—28. c) a lo mejor.—29. c) dejar de.—30. a) resolvamos.

CICLO VI

VI.1.1.

1. si.—2. que - como.—3. porque - que.—4. a que - que.—5. como si.—6. cuando.—7. ni que.

VI.1.2.

1. venga / haya venido.—2. hubiera visto - ha pasado.—3. haga - pueda.—4. trajera.—5. llévale - verás.—6. es - habría mandado / hubiera mandado.—7. sabes / supieras - dame / me das.—8. pidiera.—9. tengáis.—10. fuera.

VI.1.3.

1. Conduce a lo loco y algún día tendrás un accidente.
2. Pon pimienta y este plato te quedará demasiado fuerte.
3. No lo invites a él también y lo tomará a mal.
4. Llámame y vendré a recogerte.
5. No ofrezcáis productos de calidad a los clientes y os saldrá el tiro por la culata.
6. Dale lo que pide y te dejará en paz.
7. Háblale sinceramente y te entenderá.

VI.1.4.

1. como quien oye llover.—2. lo que faltaba para el duro.—3. sabe con quien se las juega.—4. ¡Vamos, digo yo! —5. eso se dice muy pronto.—6. para uno que... cien...—7. si te he visto, no me acuerdo.—8. cría cuervos y te sacarán los ojos.—9. ¡ni que...! —10. ¡Ni hablar! —11. ¡Menudos son! —12. es cosa suya.—13. sacan los cuartos.—14. ¡Hasta ahí podíamos llegar! —

15. ¡Que se las arregle! —16. ¿por qué regla de tres...? —17. A ver si. —18. ¡estáis buenos! —19. ¿Conque...?

VI.1.7.

1. cómo estaba. —2. a llegar. —3. va a sobrar. —4. es que. —5. que si no. —6. es capaz de. —7. trasnochado. —8. esperábamos a que. —9. pasar inadvertido. —10. dio media vuelta.

VI.2.

1. fue / había sido. —2. se estremecía. —3. pudo / había podido. —4. había conseguido. —5. saliera. —6. fuera. —7. obligaba. —8. se disfrazaban. —9. asistían. —10. fuera. —11. se hablaba. —12. pasó. —13. consiguieran. —14. hubiera valido / habría valido. —15. llegara / hubiera llegado. —16. pudo / podría / ha podido / había podido. —17. hizo. —18. perdió / perdería. —19. fue / sería. —20. se quedó / se había quedado. —21. vio. —22. puso. —23. iba / fue. —24. era. —25. habría parecido / parecía / parecería. —26. alternó / alternaba. —27. aparecía. —28. abandonaba. —29. era. —30. vio / había visto. —31. dio / había dado. —32. se había establecido / se establecería. —33. podía / podría. —34. apareció. —35. oyó. —36. hacía / había hecho. —37. se interpuso. —38. ofreció. —39. recibió. —40. hubiera estado / estuviera. —41. se descubrió. —42. dio. —43. fue. —44. hizo. —45. tuvieron. —46. fue / sería.

VI.3.

1. Esto fue cuando la segunda república.
2. La enferma de la habitación 48 está muy desmejorada.
3. Los mantecados que comisteis estas fiestas son de Astorga. / Los mantecados que comisteis estas fiestas están hechos en Astorga.
4. «El oratorio de Navidad» es de Bach.
5. La viuda aún está de luto.
6. Ha estado usted de suerte al haber encontrado el documento que había perdido. / Ha sido una suerte que haya encontrado el documento que había perdido.
7. La empresa de ese conocido magnate del transporte está cerrada desde hace meses.
8. Está claro que este vino está bueno.
9. El escape de gas fue controlado. / El escape de gas pudo ser controlado.
10. La familia de tu vecino es del mismo pueblo que yo.
11. La mesa es de madera de roble. / La mesa está hecha con madera de roble.
12. La buhardilla estaba debajo del tejado.
13. Hace tres horas que están juntos. / Están juntos desde hace tres horas.
14. El comedor de esta casa está mal iluminado. / El comedor de esta casa es oscuro.
15. La fiesta fue tranquila.

VI.4.

1. Durante las obras el museo permanecerá cerrado al público. / Hasta que terminen las obras, el museo permanecerá cerrado al público. / ...
2. Como estaba rendido, en cuanto llegué a casa, me acosté. / Como estaba rendido, al llegar a casa me acosté. / ...
3. Mientras Laura prepara el equipaje, yo iré a sacar el coche del garaje.
4. En cuanto me vio, se echó a llorar porque hacía muchísimo tiempo que no nos veíamos. / Así que me vio, se echó a llorar porque no nos habíamos visto durante muchísimo tiempo.
5. Antes de que el ayuntamiento pusiera un semáforo en este cruce, había habido muchos accidentes. / Hubo muchos accidentes hasta que el ayuntamiento puso un semáforo en este cruce / ...
6. Tan pronto como supo lo que le había ocurrido a su cuñado, cogió un avión y fue a reunirse con él. / Al saber lo que le había ocurrido a su cuñado, cogió un avión y fue a reunirse con él. / ...
7. Tenían muchísimas ganas de estar a solas porque llevaban cinco meses sin verse. / Tenían muchísimas ganas de estar a solas porque no se veían desde hacía cinco meses. / ...
8. Después de ir a ver a Catalina, regresamos a la pensión. / Fuimos a ver a Catalina y, después, regresamos a la pensión. / ...
9. Siempre que hace la siesta, se levanta de un humor de perros. / Cada vez que hace la siesta, se levanta de un humor de perros. / ...
10. Nos instalaremos en el nuevo piso después de que lo hayan pintado. / No nos instalaremos en el nuevo piso hasta que lo hayan pintado. / ...
11. En cuanto supo que le habían tocado las quinielas, empezó a planear un viaje fabuloso alrededor del mundo. / Al saber que le habían tocado las quinielas, empezó a planear un viaje fabuloso alrededor del mundo. / ...

VI.6.

1. mientras que.—2. tal como.—3. el que.—4. a medida que.—5. en vista de que.—6. con tal de.—7. de ahí que.—8. sino que.—9. si.—10. cuanto.—11. en cuanto.—12. así que.

VI.7. 🔲

1. —¿Quieres que os demos las facturas del otro día? / ¿Os vais a llevar las maletas de Ramón? / ...
   —Sí, dánoslas.
2. —¿Hace mucho que ha llamado? / ¿Cuánto lleva esperando ese hombre? / ...
   —No sé cuánto hace.
3. —¿Cuál vas a comprarle? / ¿Cuál de estos dos prefieres? / ...
   —El más oscuro.
4. —¿Tú sabes cuántos años debe tener Matilde? / ¿Sabes dónde vive el señor Llopis? / ...
   —No, ni idea.
5. —¿A cuántos kilómetros está tu pueblo? / ¿A cuántos grados tengo que poner el horno? / ...
   —A unos doscientos.

VI.8.

1. Actuad con prudencia no porque desconfíe de vosotros, sino porque es mejor.
   No desconfío de vosotros, sin embargo, actuad con prudencia porque es mejor.
2. Le conviene hacer un régimen alimenticio no porque esté gordo, sino porque tiene problemas cardíacos.
   No está gordo, sin embargo, le conviene hacer un régimen alimenticio porque tiene problemas cardíacos.
3. Esta novela puede interesarte, no porque el autor sea muy bueno, sino porque el tema está muy bien tratado.
   El autor de esta novela no es muy bueno, sin embargo, puede interesarte porque el tema está muy bien tratado.
4. La abuela de los Ferrer era muy querida por la familia no porque fuera generosa, sino porque era muy cariñosa.
   La abuela de los Ferrer no era generosa, sin embargo, era muy querida por la familia porque era muy cariñosa.
5. Adolfo se licenció en arquitectura no porque pusiera mucho esfuerzo ni porque fuera muy tenaz, sino porque es muy inteligente.
   Adolfo no puso mucho esfuerzo ni es muy tenaz, sin embargo, se licenció en arquitectura porque es muy inteligente.
6. Salvador y su mujer se han separado no porque no se respetaran, sino porque tenían problemas de comunicación.
   Salvador y su mujer se respetaban, sin embargo, se han separado porque tenían problemas de comunicación.
7. No contesté el teléfono no porque estuviera fuera, sino porque me habían cortado la línea.
   No estaba fuera, sin embargo, no contesté al teléfono porque me habían cortado la línea.
8. Recayó tras la operación no porque hubiera complicaciones postoperatorias, sino porque se había debilitado mucho.
9. Esta película es demasiado lenta para mi gusto no porque los actores no sean buenos, sino porque hay fallos de realización.
   El guión y los actores son buenos, sin embargo, esta película es demasiado lenta para mi gusto porque hay fallos de realización.

VI.9. 🔲

Cuando la guerra había unos colegios de párvulos con el refugio al lado, y nos bajaban a los niños al refugio, una bodega o una catacumba, en cuanto sonaban las sirenas, pero los niños no teníamos nunca sensación de peligro, pues la muerte es un concepto y los niños no estábamos para conceptos. Lo mejor del bombardeo, de las sirenas, de los aviones, de los refugios, era que no había que estudiar ni dar la lección, y que descubríamos, de pronto, los niños, que la tabla de multiplicar no era una ceremonia ininterrumpible, sagrada, como una misa o una boda, sino que el vagido de una sirena hacía saltar esa tabla y todos corríamos por encima de los pupitres.

La desmitificación de la tabla de multiplicar, que es cosa que no han alcanzado las generaciones escolares, la alcanzamos nosotros gracias a las sirenas y a las bombas. Habíamos perdido la fe y el respeto por la tabla de multiplicar, que ya no era un coro griego y retórico inexorable, una vez puesto en marcha, sino que podía quebrar en cualquier momento por culpa de la alarma, y con esto se veía que la tabla de multiplicar, la lista de los reyes godos y las cabezas de partido judicial son una superestructura cultural que no tiene nada que ver con la vida, ninguna fuerza frente a ella. Estábamos jugando a la cultura, pero la cultura no era más que eso, un juego, como los niños habíamos intuido siempre, de modo que no había más que afinar el oído hacia las sirenas de la vida, de la verdad, del peligro, para que todo el ceremonial de la cultura quedase roto con la misma facilidad que se rompían nuestros juegos infantiles, el marro o el escondite, cuando a los mayores les daba la gana de decir que era la hora de cenar.

F. UMBRAL, *Memorias de un niño de derechas.* (Texto adaptado)

VI.11. ⌐⊙⊙⌐

1. a) soltará.—2. c) mentira.—3. a) marcará.—4. a) lisa.—5. a) citara.—6. c) rajo.—7. c) polio.—8. c) mirará.—9. c) esté.—10. a) poso.—11. c) caza.—12. c) pitarra.—13. c) cera.—14. c) vara.—15. b) peces.—16. c) caja.—17. c) bajará.—18. a) término.

VI.12.

—¿Me creéis imbécil? Da la impresión de que me consideráis idiota. Del abuso habéis pasado al pitorreo; todos llegáis tarde —si llegáis— al trabajo, nadie trabaja y, aun admitiendo lo escaso del sueldo, le salís a la Casa y a la Nación más caros que una planta atómica. Y, encima, hacéis circo en las horas libres, que son todas. Ya está bien de esta situación, esto va a cambiar, de arriba abajo, porque yo, que soy el jefe, me encargaré de que todo esto cambie y la transformación vertical caerá sobre vuestras cabezas. A excepción de Guada, la unidad está constituida por una punta de borrachos y puteros, y tú, Guada, no sonrías, que tú tienes más delito que los demás por descocada y por los vestidos con que te cubres, y lo de cubrirse es una manera de hablar.

VI.13.

Muchas veces *en* Ø situaciones tan sencillas como *la de una* pareja sentada *en un* café, podemos observar que si *la* mujer ha pedido *una* cerveza y *el* hombre *un* zumo *de* frutas, *el* camarero le sirve *el* zumo *de* frutas *a la* mujer y *la* cerveza *al* hombre. A menudo, podremos escuchar Ø comentarios benévolos acerca *de una* mujer *en los* que se afirma que «*para* ser $\left\{ \begin{array}{c} \text{Ø} \\ \textit{una} \end{array} \right\}$ mujer gana *un* buen sueldo». También sucede *con* frecuencia que *al* proceder *a* redactar algún tipo *de* documento legal se le pregunta *la* profesión *al* hombre, mientras *a la* mujer se la suponga dedicada *a* Ø «sus labores».

Si *en una* reunión *de* Ø trabajo que incluye $\left\{ \begin{array}{c} \text{Ø} \\ a \end{array} \right\}$ Ø hombres y $\left\{ \begin{array}{c} \text{Ø} \\ a \end{array} \right\}$ Ø mujeres se hace *una* interrupción *para* comer *unos* bocadillos o preparar $\left\{ \begin{array}{c} \emptyset \\ un \end{array} \right\}$ café, se da *por* supuesto que $\emptyset$ quienes van *a* prepararlo todo serán *las* mujeres. *A las* mujeres se les cede *el* paso normalmente *ante una* puerta, o *el* asiento, cuando éste escasea, *con* preferencia *a los* hombres. *A* $\left\{ \begin{array}{c} l \\ un \end{array} \right\}$ hombre casado que tiene $\emptyset$ aventuras amorosas se le califica benévolamente, incluso *a* veces *con* simpatía, *en* tanto que *el* calificativo que merece únánimemente $\left\{ \begin{array}{c} la \\ una \end{array} \right\}$ mujer casada *con* $\emptyset$ amores extramatrimoniales es mucho más ofensivo. Todas *las* mujeres parecen sentir instintivamente *la* necesidad *de* gustar *a los* hombres, *de* encontrar $\left\{ \begin{array}{c} \emptyset \\ a \end{array} \right\}$ *un* hombre que las proteja, que las cuide y que les dé $\emptyset$ seguridad; *desde la* infancia han sido educadas *para* gustar, *para* ser coquetas y «femeninas»; *en* cambio, *a los* hombres se les educa *para* triunfar, *para* ganar $\emptyset$ dinero, *para* dirigir $\emptyset$ *la* sociedad en $\emptyset$ / *la* que vivimos.

¿Por qué se producen tan distintas situaciones *entre* $\left\{ \begin{array}{c} \emptyset \\ los \end{array} \right\}$ hombres y $\left\{ \begin{array}{c} \emptyset \\ las \end{array} \right\}$ mujeres?

VI.14.

1. Según me dijo ayer, es probable que Luis llegue tarde porque tiene muchísimo trabajo. / Luis me dijo ayer que es probable que tenga muchísimo trabajo y que, por tanto, llegue tarde. / ...
2. Como la empresa en la que trabaja tiene problemas, tiene miedo de que la despidan. / Tiene miedo de que la empresa en la que trabaja tenga problemas económicos y de que la despidan.
3. Como como demasiado, el médico me dijo que tengo que hacer régimen, aunque ahora no esté/estoy enfermo. / Tengo que hacer régimen no porque esté enfermo, sino porque el médico me dijo que comía/como demasiado. / ...
4. Estoy contento porque voy a pasar las vacaciones en el hotel de un amigo en un pueblo de la costa. / Estoy contento de ir a pasar las vacaciones a un pueblo de la costa en donde/el que un amigo mío tiene un hotel. / ...

VI.15.

1. d) como si.—2. a) den.—3. b) lo que faltaba para el duro.—4. d) a pesar de.—5. a) estoy para.—6. b) tiene nada que ver con.—7. a) mientras.—8. d) tan pronto como.—9. c) estás de suerte.—10. c) prestaré.—11. a) sin embargo.—12. b) se las.—13. a) es - b) está.—14. b) haré lo que pueda.—15. a) lo mejor de.—16. b) despidan.—17. d) la.—18. a) el de la chaqueta azul. 19. c) por culpa de.—20. c) sabías.—21. b) no hay más que tres.—22. b) sí, tenemos que ir personalmente.—23. a) fueras.—24. b) en el que.—25. a) le da la gana.—26. d) fuera - sabría.—27. b) vi - supe - pasaba.—28. a) tuvo.—29. c) fue.—30. b) si.

CICLO VII

VII.1.1.

1. doblado.—2. acomodados - hizo un gesto.—3. clientela - alborotaba - en voz baja.—4. insultar - tender la mano.—5. mejillas.—6. sosegarse.—7. desentonaré.—8. a todo lo ancho.—9. cuchicheos.—10. entornada.—11. insistencia.—12. apenas - aparte - comentario.—13. en vano.—14. erguida.— 15. cáscaras.—16. nos agrupáramos.

VII.1.2.

1. en.—2. sobre / encima de.—3. en.—4. por.—5. de.—6. en - de.—7. de.—8. en.—9. a.—10. en.—11. con.—12. de.—13. de.—14. de.—15. de.

VII.1.3.

1. vayas.—2. siga.—3. piensas.—4. se ha vuelto / se volvió / va a volverse / se volverá.—5. estuvierais.—6. se agredieran - insultaran.—7. venía - tenía / tuviera.—8. estuvieran - pudieran.—9. tengamos.—10. viene - viene - quiere / quería - diga / dijera - hay.

VII.2.

1. de.—2. surgió.—3. de.—4. con.—5. bajó.—6. por.—7. hasta.—8. saltó.—9. sobre.—10. vio.—11. ofrecía.—12. para.—13. para.—14. de.— 15. necesitara.—16. se lanzó.—17. a.— 18. por.—19. hacia.—20. era.— 21. a.—22. a.—23. acudían / acudirían.—24. a.—25. cambió.—26. de.— 27. se dirigió.—28. hacia.—29. con.—30. en.—31. recorrió.—32. de.—33. hasta.—34. decidió.—35. en / sobre.—36. a.—37. en.—38. se reflejó / se reflejaba.—39. acariciaba.—40. a.—41. en.—42. con.—43. de.—44. se celebraba.—45. de.—46. eran.—47. a.—48. en.—49. acertó.—50. a.—51. a.— 52. pudo.—53. a.—54. provoca.—55. de / en.

VII.3.

1. es - estamos.—2. estaba.—3. está - es.—4. es - es.—5. habían sido / eran / serían.—6. es.—7. es - estar.—8. es - están.—9. está - es.—10. estábamos - estaba - es - estando—11. estoy.—12. está.—13. está - será.—14. estábamos / estamos.—15. está - es - estoy.

VII.4.

1. Los niños hacen tanto ruido que no puedo oír la radio. / De tanto ruido que hacen los niños, no puedo oír la radio. / ...
2. Sale en tantos anuncios que se ha hecho muy famoso. / De tanto salir en anuncios, se ha hecho muy famoso. / ...
3. De tan bien que está jugando su equipo favorito, está gritando. / Su equipo favorito está jugando tan bien que está gritando. / ...
4. Hace tanto frío que hoy no voy en moto. / De tanto frío que hace, hoy no voy en moto. / ...

5. Tiene tan pocos medios económicos para hacer frente a los gastos de la familia que está muy preocupado. / De tan pocos medios económicos que tiene para hacer frente a los gastos de la familia, está muy preocupado. / ...
6. De tanto apetito que tienen los niños, se están comiendo los restos de la cena de ayer. / Los niños tienen tanto apetito que se están comiendo los restos de la cena de ayer. / ...
7. Carmiña, de tanto que se ha adelgazado, no se puede poner la ropa del año anterior. / Carmiña está tan delgada que no puede ponerse la ropa del año anterior. / ...
8. Este chico hace tanto deporte que se ha desarrollado mucho. / De tanto deporte que hace este chico, se ha desarrollado mucho. / ...
9. John hace tanto tiempo que vive en España que tiene muy buen acento. / John, de tanto vivir en España, tiene muy buen acento. / ...
10. Leen tantos periódicos cada día que están perfectamente informados. / De tantos periódicos que leen, están perfectamente informados. / ...
11. Escribes tan rápido que tienes muy mala letra. / De tan rápido que escribes, tienes mala letra. / ...
12. Coméis tantas golosinas que os habéis engordado. / Os habéis engordado de tantas golosinas que coméis. / ...

VII.5.3.

1. protestón.—2. tiene pinta de.—3. ir tirando.—4. argumentas.—5. en seco.—6. a grito pelado - gesticulando - hacer papilla.—7. hecho polvo.—8. sermoneando.—9. se quedó de piedra - se lo hubiera podido imaginar.—10. lograría - se ha salido con la suya.—11. se desconcertó - sin titubeos.—12. dar crédito a.—13. a la espera.—14. la situación que atraviesa.—15. incluyen.

VII.5.4.

1. a.—2. de.—3. por.—4. con.—5. a.—6. de.—7. desde.—8. de.—9. a.—10. de - en.—11. sin.—12. a.

VII.5.5.

1. suban - incluyan.—2. se ocupara.—3. vimos / habíamos visto.—4. está / estaba.—5. dieran.—6. tengáis.—7. pretendiera / pretendía.—8. tienes.—9. se arrepienta / se arrepentirá.—10. protestando.

VII.6.

1. Se habrán cambiado de piso.—2. No me vería.—3. Se habrán enfadado. 4. Habrá salido hacia su casa.—5. No estaría de acuerdo.—6. Estará agotado después de tanto trabajo.—7. No le interesaría nuestra conversación.— 8. No nos quedará ni un duro en la cuenta corriente.—9. Habrá estado esperando tu llamada todo el día.—10. Ya se habría dado cuenta.

VII.7. 🔊

1. —¿Qué zapatillas prefieres? / ¿Qué toallas le habéis regalado a Raquel? / ...
   —Yo, las azules.
2. —¿Les gustó a los Muñoz la película? / ¿Qué les pareció tu novio a tus padres? / ...
   —No les gustó demasiado.
3. —¿Me pasas estas cartas a máquina, por favor? / ¿Podrá arreglarme esto lo antes posible? / ...
   —Sí, en cuanto pueda se lo haré.
4. —¿Podemos coger las llaves de la casa? / ¿Nos dejarías llevarnos las fotos del viaje para enseñárselas a la familia? / ...
   —Claro, lleváoslas.
5. —¿Quedaba alguna cerveza en la nevera? / ¿Cuántas fotos quedaron por tirar? / ...
   —Creo que no quedaba ninguna.

VII.8.

1. Muchas industrias han sustituido hombres por máquinas, por lo que, en algunas de ellas ha habido problemas laborales. / Muchas industrias han sustituido hombres por máquinas. En algunas de ellas ha habido, pues, problemas laborales. / ...
2. El zumo de naranja es muy digestivo y, por eso, me encanta para desayunar. / El zumo de naranja es tan digestivo que me encanta para desayunar. / ...
3. La publicidad intenta influir en la opinión de la gente y, por lo tanto, es criticable. / La publicidad intenta influir en la opinión de la gente, por lo que es criticable. / ...
4. Estás muy animado, así que podríamos ir a cenar fuera. / Estás tan animado que podríamos ir a cenar fuera. / ...
5. La gasolina sigue subiendo; de modo que convendrá usar más a menudo los transportes públicos. / La gasolina sigue subiendo; por consiguiente, convendrá usar más a menudo los transportes públicos. / ...
6. Comprobaron que aquel proyecto arquitectónico no tenía buena acogida entre los afectados y, por lo tanto, lo abandonaron. / Comprobaron que aquel proyecto arquitectónico tenía tan mala acogida entre los afectados que lo abandonaron. / ...
7. El frío reinante era tan insoportable que se suspendió el partido. / El frío reinante era insoportable; se suspendió el partido, pues. / ...
8. Era tan hosco que carecía de amistades. / Era muy hosco y, por eso, carecía de amistades. / ...
9. Los López no pueden salirse de este apuro, de modo que haremos todo lo posible por ayudarlos. / Los López no pueden salirse de este apuro, conque haremos todo lo posible por ayudarlos. / ...
10. No practicas el inglés y, por lo tanto, te has olvidado de todo. / No practicas el inglés y, por eso, te has olvidado de todo. / ...
11. Conducía imprudentemente. Por eso estuvo a punto de chocar contra un

camión. / Conducía tan imprudentemente que estuvo a punto de chocar contra un camión. / ...

12. Era tan ingenuo que lo traicionaron. / Era muy ingenuo y, por eso, lo traicionaron. / ...

VII.9. ⬚

A los niños les mata cualquier cosa; pero también los salva cualquier cosa. Una cosa que me ha dado un gran resultado con los niños y que utilizo muy a menudo, es una caja de música, de esas cajas de música que tienen como esencia de pinos centenarios. Con esa caja de música bien empleada les retengo, les hago olvidarse de su antojo de echar los brazos a la muerte para irse con ella como con una tía que también quiere jugar con ellos.

En esta última temporada he salvado a más de cincuenta niños, gracias a mi caja de música.

VII.10.

1. c).—2. c).—3. a).—4. c).—5. c).—6. b).—7. c).

VII.11. ⬚

1. b) No, lo harás.—2. c) ¿Cómo vendrás?—3. c) Si se cae...—4. b) Mira por donde, viene.—5. a) Sí, viene solo.—6. a) No os lo han dado.—7. c) El, ¿qué?, ¿Vino?—8. d) ¡Y ella no hablaba!—9. b) Sí, lo hacía.—10. c) ¿Lo sabrán? ¿Ya?

VII.12.

Lucita le pidió a Tito que le contara algo y él le preguntó qué quería que le contara y ella le contestó que lo que se le ocurriera, aunque fueran mentiras, que daba igual, que le contara algo que fuera interesante. Tito le contestó que él no sabía contar nada y le preguntó de qué tipo tenía que ser la historia y qué era lo interesante para ella. Ella le dijo que le contara algo de aventuras, por ejemplo, de amor. Y Tito le preguntó de qué amor y le explicó que había muchos amores distintos. Lucita le dijo que le contara lo que él quisiera con tal de que fuera emocionante. Tito le explicó que él no sabía relatar cosas románticas y le preguntó de dónde quería que lo sacara. Le aconsejó a Lucita que se comprara una novela. Lucita le dijo que estaba harta de novelas, que ya había leído muchas y que, además, era en aquel momento cuando quería que le contara él algún suceso llamativo. Tito le preguntó que cómo quería que él supiera contarle lo que no venía en las novelas y si ella le quería exigir que tuviese más fantasía que los que redactan. Y le explicó que, en ese caso, no estaría él despachando en un comercio. Ella le dijo que se lo había pedido por hacerle hablar y que no le contara nada. Le explicó que todas las novelas traían lo mismo, que tampoco se estrujaban los sesos, que unas veces la ponían a Ella rubia y a El moreno, y otras salía Ella de morena y El de rubio y que no tenían casi más variación.

VII.13.

1. Alfredo es bastante mayor que Elena. / Elena tiene bastantes menos años que Alfredo, su marido. / ...
2. Damián sabe tantas matemáticas como Alberto. / Damián sabe igual que Alberto. / ...
3. No queda más de una docena de cervezas. / Quedan menos de doce cervezas. / ...
4. No puedo dejarte más de quinientas pesetas. / No puedo dejarte más que quinientas pesetas.
5. El segundo libro es tan bueno como el primero. / El segundo libro no es menos excelente que el primero. / ...
6. En el piso no hay más de ocho dormitorios. / En el piso hay menos de diez dormitorios. / ...
7. Tendrá más de doscientos discos. / Tendrá un poco menos de trescientos discos. / ...
8. Rosa tiene un coeficiente intelectual menor al de su hermana. / La hermana de Rosa tiene más coeficiente intelectual que ella. / ...
9. Enric ha escrito tantos artículos como conferencias. / Enric ha dado tantas conferencias como artículos ha escrito. / ...
10. En la reunión de hoy había menos personas que en la de ayer. / En la reunión de ayer había más gente que en la de hoy. / ...
11. Eduardo lleva tanto tiempo como Javier trabajando en ese hospital. / Hace los mismos años que Eduardo y Javier trabajan en ese hospital. / ...
12. El vídeo le habrá costado más de cien mil pesetas. / El vídeo le habrá costado no menos de cien mil pesetas. / ...

VII.14.

1. Vi una película que proyectaban en aquel cine al que fuimos un día con Mateo, pero no me gustó porque, aunque tenía un tema interesante, estaba tratado de un modo muy superficial. / Al cine aquel al que fuimos un día con Mateo fui a ver la película que proyectaban, pero no me gustó, ya que el tema, aunque interesante, estaba tratado de un modo muy superficial. / ...
2. Terencio está gordo pero no porque coma demasiado, sino porque bebe mucho líquido y hace poco ejercicio, por lo tanto, debe vigilar su peso si no quiere tener problemas de salud. / El hecho de que Terencio, por beber tanto líquido y hacer tan poco ejercicio, esté tan gordo, aunque no coma demasiado, hace que deba vigilar su peso o tendrá problemas de salud. / ...
3. Como quiero saber tu opinión, te aconsejo leer este artículo, que es muy interesante, de modo que mañana te llamaré para que quedemos en algún lado y lo discutamos. / En vista de que es muy interesante, te aconsejo que leas este artículo y, como quiero saber tu opinión, mañana te llamaré para quedar en algún lado y discutirlo. / ...

VII.15.

1. b) pudo.—2. c) en.—3. d) esté.—4. a) habría.—5. a) queda hecho polvo.—6. c) hablando.—7. c) fuera.—8. b) recibiera.—9. a) que.—10. d) a menudo.—11. c) como si.—12. d) tanto... que.—13. c) estamos.—14. a) salirse con la suya.—15. c) qué ocurrencia.—16. b) de.—17. a) pasara.—18. a) están.—19. b) en.—20. c) diga.—21. b) era.—22. c) de modo que.—23. c) serán.—24. c) tomes.—25. b) sienten.—26. b) trajera.—27. b) está. 28. b) para.—29. b) quería - d) sacara.—30. c) seguir.

CICLO VIII

VIII.1.1.

1. a mandar.—2. donde lo de.—3. servidora.—4. dedos de.—5. lo mismito.—6. hable en cristiano.—7. tiene preocupado.—8. y todo.—9. cuelga.—10. conferencias.—11. agradezco.—12. recado.—13. temblando.—14. despedida.—15. acá.—16. de parte de.—17. encantado.—18. aguarde.—19. echas. 20. ya se sabe.—21. ¡Qué cosas!—22. lo que pasa.

VIII.1.2.

1. La pescadera le dijo que era una maleducada.
2. Señorita, se me ha caído el jarrón ése que tanto le gustaba y me lo he cargado.
3. En los anuncios de los parques pone que está prohibido pisar el césped.
4. Nena, no grites tanto, que ya se te oye.
5. ¡Siéntese de una vez, hombre!
6. Tuve una gran satisfacción al decirle que su sección era la más eficaz.
7. Al abuelo le molesta que hablen alto.
8. ¡Cuánta gente hay allí! ¿Qué pasa?
9. No vale la pena que intentes convencer a Julián. Me ha comentado que no le apetece venir.
10. Póngame un litro de leche y un paquete de harina.

VIII.1.3.

1. Tendrá (unos) 30 años.
2. En Barcelona vivirán (aproximadamente) tres millones y medio de personas.
3. Habría (unas) cien personas reunidas.
4. Ese local costará (unos) ocho millones.
5. Aquel tío sería extranjero porque hablaba muy raro.
6. Estaría de mal humor.
7. Serán ellas aquéllas de allá.
8. Se encontrarían a las seis.
9. En la manifestación habría un millar de personas (o algo más).
10. Se equivocarían de carretera; por eso no llegaron.

11. Habrán tenido una docena de visitas.
12. Ya habrá terminado el descanso.

VIII.1.4.

1. con.—2. en - en.—3. de - de.—4. de.—5. de.—6. para.—7. por - de.—
8. entre.—9. a - en.—10. a.

VIII.2.

1. sobrevino.—2. arruinaría / arruinó.—3. comenzaban / comenzaron.—4. había caído / cayó.—5. perdió.—6. alcanzaba.—7. se cuadruplicó.—8. cobró.—9. cancelaron.—10. hizo.—11. compañía.—12. pensando.—13. había enterrado / enterró.—14. pusiera.—15. fue.—16. comprendió.—17. vendía.— 18. se quedaría.—19. gastaba / gastaría.—20. conservaba / conservara.— 21. hiciera.—22. desenterró.—23. estaban.—24. se sentía.—25. limpiaron. 26. pudieron.—27. anunció.—28. remataba.—29. se armaron.—30. pusieron.—31. funcionó.—32. despachaban / despacharon.—33. contenían.—34. fue.—35. terminó.—36. se apoderó.—37. había.—38. pudieron.—39. pulverizaron.—40. duró.—41. fueron.—42. resultó.—43. contemplaron.—44. se retiraban.—45. había sido.—46. estaba.—47. murmuró.—48. contestó.

VIII.3.

1. Estoy un poco preocupado por ese asunto.
2. Este ejemplar fue imprimido en Bilbao.
3. Su falta de interés es evidente.
4. Calienta el café, por favor; está frío.
5. Estamos muy nerviosos esta temporada.
6. ¿Estás a punto de empezar un nuevo jersey?
7. Es preferible que no nos declaremos en huelga.
8. Este turrón está hecho en Alicante.
9. En mi reloj son las cinco y veinte.
10. Jeremías es el representante de la sección administrativa de esa empresa.
11. La sala de exposiciones estuvo cerrada dieciocho días.
12. ¡Baja el volumen de la radio! No es necesario que esté tan alto.
13. Tu madre parece más joven de lo que es.
14. La chaqueta a cuadros y la falda gris te están muy bien.
15. Hace cinco horas que están reunidos.

VIII.4.

1. Firmaremos ese documento si no nos perjudica. / Firmaremos ese documento, excepto si nos perjudica. / ...
2. De seguir subiendo los precios, no sé a dónde iremos a parar. / Si siguen subiendo los precios, no sé a dónde iremos a parar. / ...
3. En el caso de que atiendan sus reivindicaciones, terminarán la huelga. / Terminarán la huelga si atienden sus reivindicaciones. / ...
4. Como no se cuide un poco, tendrán que operarle del estómago. / Tendrán que operarle del estómago, salvo si se cuida un poco. / ...

5. De no encontrar pronto una gasolinera, nos vamos a quedar sin gasolina. / Como no encontremos pronto una gasolinera, nos vamos a quedar sin gasolina. / ...
6. Como no cambie radicalmente la situación económica, muchas empresas tendrán que cerrar. / Muchas empresas tendrán que cerrar, excepto si cambia radicalmente la situación económica. / ...
7. Si me prometes no comentarle nada a Basilio, te explicaré lo que le pasó el otro día. / Te explicaré lo que le pasó el otro día a Basilio, siempre que me prometas no comentarle nada. / ...
8. Mientras sigan mimando como hasta ahora a este niño, va a ser un maleducado. / De seguir mimando como hasta ahora a este niño, va a ser un maleducado. / ...
9. Como la fiesta siga así de aburrida, todo el mundo se marchará muy pronto. / De seguir la fiesta así de aburrida, todo el mundo se marchará muy pronto. / ...
10. Si hubiera sabido que llegabais hoy, hubiera preparado algo de cena. / Hubiera preparado algo de cena, siempre que hubiera sabido que llegabais hoy. / ...

VIII.5.3.

1. haya escrito - daría.—2. se dedican.—3. estuviera.—4. esperen.—5. se casara / se hubiera casado.—6. es.—7. ha decidido.—8. parece.—9. mejora.—10. haya traído.

VIII.6.

1. Vuestra buena disposición hará que os contraten.
2. La sospecha del peligro hizo que avisaran a los bomberos.
3. La suciedad de los puertos marítimos comerciales hace que huelan mal.
4. La humedad del día hace que se respire con dificultad.
5. La dulzura de Marta hace que todo el mundo la aprecie.
6. La claridad y la amplitud del estudio hacen que sea tu habitación preferida.
7. El temor al cambio hizo que los ciudadanos votaran por la moderación.
8. Su calvicie hace que esté acomplejado.
9. El excesivo grosor de este tejido hace que no me gusten estos pantalones.
10. La fortaleza de su carácter hace que sobrelleve bien la muerte de su marido.
11. La gran longitud del tramo hará que las obras de esta carretera resulten muy caras.
12. La escasez de medios económicos hace que el proyecto avance lentamente.

VIII.7. 🔲

1. —¿Te has enterado de que Rosa María va a tener un niño? / Teníais que estar aquí a las nueve y tú, Carlos, lo sabías. / ...
   —No, no lo sabía.
2. —¿Desde cuándo estáis aquí? / ¿Hace mucho que sabes lo del juicio de Salmerón? / ...
   —Desde hace media hora.

3. —¿Tienes idea de dónde pueden estar las llaves? / ¿Sabes si los apartamentos que nos dijo Pilar están por este barrio? / ...
   —No, no sé dónde están.
4. —Seguro que Rafael se olvidó de devolvernos las fotos. / ¿Comentó algo el señor López de cuándo nos entregaría las escrituras? / ...
   —Dijo que nos las daría el miércoles.
5. —¿Qué os parece? ¿Salimos ahora o un poco más tarde? / No sé en qué momento será mejor hablar de esto. / ...
   —Cuando tú quieras.

VIII.8.

1. Tiene que ponerse estas inyecciones para que no le siga subiendo la fiebre. / A fin de que no le siga subiendo la fiebre, tiene que ponerse estas inyecciones. / ...
2. Estuve con Eduardo toda la tarde para que no estuviera solo. / Estuve con Eduardo toda la tarde a fin de que no estuviera solo. / ...
3. Le he prestado el coche para que pueda volver mañana por la mañana muy pronto. / A fin de que mañana por la mañana pueda volver pronto, le he prestado el coche. / ...
4. Para mantener su mayoría en el Congreso, el partido en el poder ha hecho muchas promesas. / El partido en el poder ha hecho muchas promesas para mantener su mayoría en el Congreso. / ...
5. Les he prometido a Pablo y María quedarme con la niña para que puedan ir a una fiesta. / Les he prometido a Pablo y María quedarme con la niña a fin de que puedan ir a una fiesta. / ...
6. A fin de poder discutir todos los temas, el presidente de la Asociación convocó una reunión extraordinaria. / El presidente de la Asociación convocó una reunión extraordinaria para poder discutir todos los temas. / ...
7. Para poder llegar antes de las diez tenéis que salir ahora mismo. / Salid ahora mismo, que podáis llegar antes de las diez. / ...
8. Sus padres le han comprado ese terreno para que puedan irse a vivir al campo. / A fin de que puedan vivir en el campo, sus padres les han comprado ese terreno. / ...
9. Me mandó los libros por correo para que yo pudiera tenerlos esta misma semana. / A fin de que yo pudiera tener los libros esta misma semana, me los mandó por correo. / ...
10. Jorge le prometió que volvería pronto para que ella estuviera tranquila. / A fin de que ella estuviera tranquila, Juanjo le prometió que volvería pronto. / ...

VIII.9. 🔲

No se puede vivir toda la vida con un idioma, moviéndolo longitudinalmente, explorándolo, hurgándole el pelo y la barriga, sin que esta intimidad forme parte del organismo. Así me sucedió con la lengua española. La lengua hablada tiene otras dimensiones; la lengua escrita adquiere una longitud imprevista. El uso del idioma como vestido o como la piel en el cuerpo; con sus mangas, sus parches, sus transpiraciones y sus manchas de sangre o sudor, revela al escritor.

Esto es el estilo. Yo encontré mi época trastornada por las revoluciones de la cultura francesa. Siempre me atrajeron, pero de alguna manera no le iban a mi cuerpo como traje.

VIII.11. ⌈oo⌉

1. b) ¡Está lejos!—2. c) Que duele.—3. c) No, ¿viene?—4. b) ¿Lo quiere? ¿Ah, sí...?—5. a) No, le va mal.—6. b) Si quiere más...—7. b) ¿Por qué tiene frío?—8. a) No lo dijo.—9. a) ¿Qué terminó?—10. a) Sí, ¿es de Luis?

VIII.12.

—No vengas. La vida es muy dura. Si en el pueblo es difícil, aquí también hay que buscársela. Ya eres muy mayor para entrar en ningún oficio. Sólo quieren mozos jóvenes. Sin tener oficio, vas a andar a la busca toda la vida. Nunca encontrarás nada decente. Todo, todo se lo advertí. Y nada, que se vino. Todo vino a caer sobre mí: «¿Somos o no somos primos? Tu madre y la mía estuvieron de parto en el mismo día, ¿no? Cuando mi madre vino a Madrid, la tuya estaba sirviendo en casa del médico.» Total, que me encontré de improviso a toda la familia sobre mis hombros.

VIII.13.

1. No quieras saber lo mucho que me costó decírselo. / No quieras saber lo que me costó decírselo.
2. Imagínate lo valioso que es este cuadro.
3. Ya sabes lo mucho que le gusta a Joaquín fumar en pipa.
4. Es increíble lo bien arreglada que tienen la casa.
5. No te puedes hacer una idea de lo mucho que te echamos de menos mientras estuviste de viaje. / No te puedes hacer una idea de lo que te echamos de menos mientras estuviste de viaje.
6. Cuéntale lo charlatana que está Rosa últimamente.
7. No me podía llegar a imaginar lo comilones que erais.
8. Es indignante lo carísimo que está todo.
9. Ya se sabe lo delicado que es este tema.
10. Ya habrás visto lo mucho que lo necesitan sus hijos.
11. Tenías que haber visto lo desagradable que resultó el reencuentro.
12. No os podéis imaginar lo destartalada que estaba la fonda donde estuvimos.

VIII.14.

1. Cuando le dije a Enrique que Santiago, porque conocía al hijo del dueño, y a pesar de que no era un verdadero especialista, había obtenido el puesto de gerente que Enrique tenía grandes esperanzas de obtener, se decepcionó mucho. / Para que no se decepcionara mucho, le dije a Enrique que el puesto que él tenía tantas esperanzas de obtener lo había conseguido Santiago no porque fuera un verdadero especialista, sino porque conocía mucho al hijo del dueño. / ...
2. Como cogeré la traducción que me han encargado, a pesar de que sea una

43

pena que no sea un trabajo bien pagado, dispondré de menos tiempo libre. / Aun no siendo un trabajo bien pagado, cogeré la traducción que me han encargado, por lo que, aunque es una pena, dispondré de menos tiempo libre. / ...

3. Me enteré por la prensa de que diez militantes anarquistas que secuestraron a B. Jaca, que fue retenido tres semanas por la organización a la que pertenecían los inculpados, serán juzgados. / Diez militantes anarquistas serán juzgados por haber secuestrado a B. Jaca, quien fue retenido tres semanas por la organización a la que pertenecían los diez inculpados, según la prensa. / ...

VIII.15.

1. b) escuchara - d) iba.—2. d) lo.—3. c) aumente.—4. b) de lo de.—5. c) les.—6. a) de.—7. c) lo.—8. a) lograron.—9. b) palabra.—10. d) está. 11. a) duró.—12. c) a.—13. c) lo.—14. b) tiene.—15. c) comprendí.—16. c) le.—17. b) como.—18. c) me he enterado.—19. b) dar que.—20. a) vayamos.—21. b) estoy.—22. c) para.—23. d) hayan llegado.—24. b) puesto. 25. b) agradecemos.—26. a) dijera.—27. c) con tal de que.—28. c) fuera. 29. d) eche.—30. b) recado.

CICLO IX

IX.1.1.

1. justificación.—2. ha sacado adelante.—3. emprendedor.—4. superar.— 5. formar - me pregunto.—6. vaciló.—7. artículos.—8. digna.—9. irremediable - común.—10. cosechando.—11. devoción - carrera - agotador.—12. condición.—13. ingrato.—14. sobrellevaría.—15. secreto - leal.—16. ha llevado un peso encima.—17. criar.—18. ambas.—19. laboriosa.—20. sometido.— 21. frasco.—22. estéril.—23. apreciamos.—24. tenaz.—25. condición.

IX.1.2.

1. de.—2. de.—3. para.—4. a.—5. de.—6. de.—7. de.—8. a.—9. por. 10. en.—11. por.—12. por - por.—13. de.—14. según.—15. a - de.

IX.I.3.

1. está / ha estado.—2. es - seas.—3. sea.—4. estás.—5. es.—6. esté - es / era.—7. estaba.—8. es.—9. es.—10 sea.

IX.I.4.

1. después de que.—2. mientras que.—3. ni siquiera / ni.—4. tal como.— 5. al cabo de.—6. ni / ni siquiera.—7. mientras.—8. o bien.—9. apenas. 10. no obstante.

IX.2.

1. había dejado.—2. debía.—3. intentó.—4. venía.—5. se metió.—6. pidió.—7. empezaba / empezó.—8. se mostró / se mostraba.—9. mandó.—10. quedaba.—11. venía / vino.—12. se subió.—13. pidió.—14. llegarían / iban a llegar / llegaban.—15. entregó.—16. rellenó.—17. firmaron.—18. vuelva. 19. podrá.—20. son / fueran.—21. empezó.—22. sintió / sentía.—23. entró. 24. compró.—25. dijo.—26. mandaran.—27. dio.—28. siguió.—29. recogió.—30. regresó.—31. habían dado.—32. era.—33. se lavó—34. se afeitó. 35. se cambió.—36. volvió.—37. eran.—38. tomó.—39. dio.—40. atravesar. 41. estuvo.—42. peleaban.—43. había / hubo.—44. discutía.—45. aseguraba.—46. había.—47. sabía.—48. haría.—49. dejasen.

IX.3.

1. Joaquín estuvo un tiempo en Madrid, pero actualmente está en Barcelona.
2. Los cuadros que tenemos son de una herencia.
3. Es sabido que Fernando está apoyado por todos los que trabajan con él.
4. La carrera ciclista será en el parque del Retiro.
5. Desde ayer están diciendo que subirá el dólar.
6. Susi ya está preparada para salir.
7. La mayor cualidad de Fernando Fonseca es su capacidad para analizar el comportamiento de la gente.
8. Hacer este guiso es muy fácil/no es nada difícil.
9. Esperadme. Estoy en un momento.
10. Estábamos a punto de dar una vuelta en bicicleta cuando ha empezado a llover.
11. Estoy en contra de que se realice esta votación. No hay representación suficiente.
12. Ayer, en mi casa, éramos unos veinte.
13. Se ignora el lugar en el que está el industrial secuestrado.
14. Hace diez minutos que están en silencio/que están callados.
15. Estas zapatillas son de piel de cordero.

IX.4.

1. La manifestación la disolvió la policía y a varios estudiantes los detuvieron.
2. Un nuevo tratamiento para combatir el cáncer lo han descubierto dos médicos de un pequeño hospital.
3. Su intervención la escuchó atentamente el público.
4. El interior de esta tienda lo ha diseñado un decorador muy conocido.
5. A tres jugadores de la Selección Española los amonestó el árbitro.
6. A todos los socios los invitaron a la inauguración del local.
7. El divorcio lo han legalizado recientemente.
8. Al embajador peruano lo recibió el ministro de Asuntos Exteriores.
9. A este poeta lo homenajearon sus paisanos.
10. A Marisa y a María José las premiaron por sus colaboraciones en la revista de la Universidad.
11. La enfermedad de José la diagnosticaron como benigna los médicos que lo trataban.

12. A las personas afectadas por la infección las ha recibido el alcalde de la localidad.

IX.5.5.

Si el digno empresario que está a punto de suicidarse no tuviera ninguna amante que se llamara Bibí, no debería una importante factura a la peletería. Si no debiera una factura a la peletería, no tendría que engañarlos diciendo que había salido a retirar dinero del Banco. Si pudiera retirar dinero, no les diría a los del Banco que se había ido con el contable. Si realmente saliera con el contable a cubrir ese cheque sin fondos, no le mentiría al decirle que tenía una imprevista reunión de dirección. Si asistiera de verdad a una reunión, a sus socios no los engañaría diciéndoles que hacía/estaba haciendo un recado de su mujer. Si su mujer estuviera enterada de que su marido estaba haciendo/hacía el encargo que le había pedido/pidió, no le telefonearía a esa hora. Si la situación del pobre señor fuera diferente, seguro que no se suicidaría y le evitaría un buen susto a su fiel secretaria.

IX.6.

1. Como me dijo que, si no estaba de acuerdo, se lo planteara, fui a verle y se lo expuse. / Fui a verle y se lo expuse, puesto que me dijo que, si no estaba de acuerdo, se lo planteara. / ...
2. No puede tomar ciertos alimentos porque el doctor le ha dicho que tiene una úlcera de estómago. / Por tener una úlcera de estómago, no puede tomar ciertos alimentos. / ...
3. Me largo, que estoy harta de oír tantas tonterías. / Como estoy harta de oír tantas tonterías, me largo. / ...
4. Puesto que la protagonista de la película cayó enferma, se hubo de retrasar el rodaje. / Se hubo de retrasar el rodaje porque la protagonista de la película cayó enferma. / ...
5. Nos dieron las tres sin darnos cuenta porque lo pasamos muy bien charlando. / Como lo pasamos muy bien charlando, nos dieron las tres sin darnos cuenta. / ...
6. Apenas se oía al cantante de tantos aplausos de la gente. / Apenas se oía al cantante porque la gente aplaudía mucho. / ...
7. Exigí ver al director del banco puesto que no querían darme el saldo de mi cuenta por no llevar el carné. / Como en el banco no querían darme el saldo de mi cuenta porque no llevaba el carné, exigí ver al director. / ...
8. Por la discusión que tuvieron, desde hace dos meses no se hablan. / No se hablan desde hace dos meses, ya que tuvieron una enorme discusión. / ...
9. En vista de que las causas que mueven a Antonio a pedirnos nuestra colaboración no están nada claras, actuemos con prudencia. / Actuemos con prudencia, que no están nada claras las causas que mueven a Antonio a pedirnos nuestra colaboración. / ...
10. Como Gregorio está muy desmoralizado a causa de sus problemas laborales, apenas sale de casa. / Gregorio, por estar muy desmoralizado a causa de sus problemas laborales, apenas sale de casa. / ...

IX.7. 🔲

1. —¿Ya les han informado de lo de la huelga de mañana? / Supongo que ya os han comunicado qué día empezaréis a trabajar en ese Departamento. / ...
   —No, aún no hemos sido informados.

2. —¿Sabéis qué día es el cumpleaños de María? / ¿A que no sabéis lo que pasó el día de la fiesta de Rodrigo? / ...
   —No tenemos la más mínima idea.

3. —Pues hago yo el primer plato. / ¿Qué opina Luis sobre lo de que yo hable con Suárez? / ...
   —No quiere que lo hagas.

4. —¿Os habéis acordado de darles las fotocopias a los estudiantes? / ¿Se acordaron ustedes de entregarle las escrituras del piso al señor Lorca? / ...
   —Sí, ya se las entregamos.

5. —Voy a ponerme el jersey negro de Miguel. / ¿Qué va a hacer esa mujer con ese uniforme de bombero? / ...
   —Creo que va a ponérselo.

IX.8.

1. Aunque el médico se niega a dejarme salir, yo voy a ir a esa fiesta. / Voy a ir a esa fiesta, por mucho que el médico se niegue a dejarme salir. / ...

2. A pesar de que no tiene muchas posibilidades de conseguir ese empleo, va a presentarse al examen de selección. / Aun sin tener muchas posibilidades de conseguir ese empleo, va a presentarse al examen de selección. / ...

3. A pesar de que Eduardo no ve claro lo de la compra del piso, firmará el contrato. / Eduardo, aunque dice que no ve claro lo de la compra del piso, firmará el contrato.

4. Aunque el periódico de ayer anunciaba una película excelente para hoy, me parece que la han cambiado. / A pesar de que el periódico de ayer anunciara/anunciaba una película excelente para hoy, la han cambiado.

5. Aun sin saber si podrá ir a vivir a Valencia el próximo año, Belén está dispuesta a intentarlo. / Aunque no sepa/sabe si podrá ir a vivir a Valencia el próximo año, Belén está dispuesta a intentarlo.

6. A pesar de nuestras advertencias de que hablen más bajo, ellos siguen gritando. / Aunque les hayamos advertido/hemos advertido varias veces que hablen más bajo, ellos siguen gritando.

7. Aunque no te haya pedido/he pedido esta canción, tú la has puesto porque tú la querías. / A pesar de que no la habías pedido, tú has puesto esta canción porque tú la querías.

8. Aunque llames a María otra vez, no creo que la convenzas para venir con nosotros. / A pesar de tu llamada, no creo que la convenzas para venir con nosotros.

9. A pesar de que en el noticiario hayan asegurado/han asegurado que han cesado las hostilidades, habrá que esperar que lo confirme la prensa de mañana. / Aun habiendo asegurado en el noticiario que han cesado las hostilidades, habrá que esperar a que lo confirme la prensa de mañana.

10. A pesar de la terquedad de Juliana, puedes tratar de que cambie de opinión. / Por más que Juliana sea terca, siempre puedes tratar de que cambie de opinión.
11. Según fuentes oficiosas, habrá un cambio ministerial aunque las agencias oficiales lo han desmentido. / A pesar de que las agencias oficiales lo han desmentido, según fuentes oficiosas habrá un cambio ministerial.
12. A pesar de que quería recorrer el norte de Italia en moto, una vez allí Enrique ha optado por quedarse en Florencia. / Aunque quería recorrer el norte de Italia en moto, una vez allí Enrique ha optado por quedarse en Florencia.

IX.9. $\boxed{\overline{\circ\circ}}$

Hay un lugar en *el norte de* España adonde no llegaron nunca *ni* los romanos *ni* los moros; y si doña Berta de Rondaliego, propietaria de este *escondite* verde y silencioso, supiera algo *más de* historia, juraría que *jamás* Agripa, *ni* Augusto, *ni* Muza, *ni* Tariq habían *puesto* la osada planta sobre el suelo, mullido siempre con *tupida hierba fresca*, jugosa, oscura, aterciopelada y *reluciente*, de aquel rincón, *suyo*, todo suyo, *sordo* como ella, a los *rumores* del mundo *empaquetado* en verdura espesa de árboles infinitos y de lozanos *prados*, como ella *lo* está en franela amarilla, *por culpa de* sus achaques.

L. ALAS («CLARÍN»), *Doña Berta y otros relatos.* (Texto adaptado)

IX.11. $\boxed{\overline{\circ\circ}}$

1. b) morro.—2. a) loma.—3. a) rama.—4. c) liquido.—5. a) senior.—6. c) dejó.—7. a) es tupido.—8. c) duro.—9. b) viso.—10. c) basar.—11. d) cebo.—12. c) vela.—13. c) foro.—14. b) cava.—15. c) ultimó.—16. c) pace.—17. b) hez.—18. a) paja.—19. b) sábana.—20. b) errado.

IX.12.

El señor le preguntó al joven si iba a la oficina y el joven le respondió que sí y le preguntó si él también iba. El señor asintió y se interesó por sus asuntos. El joven le explicó que iban bastante bien, ya que se sacaba casi otro sueldo, o sea que no se podía quejar, y le preguntó qué tal le iba a él. El señor le contestó que todo marchaba y que sólo necesitaría que algunos vecinos se mudasen y así podría ocupar un exterior y que después de desinfectarlo y pintarlo, podría recibir gente. El joven indicó que ellos querían lo mismo. El señor añadió que además no había derecho a pagar tantísimo por un interior, mientras otros tenían los exteriores casi de balde. El joven dijo que suponía que sería porque eran vecinos muy antiguos, pero el señor reiteró que no había derecho y preguntó si su dinero valía menos que el de los demás. El joven comentó que, además, eran unos indeseables, el señor estuvo de acuerdo y no quiso ni hablar del asunto. Dijo que sin ellos la situación mejoraría muchísimo, ya que la casa, aunque vieja, no estaba mal.

IX.13.

1. las.—2. Ø.—3. Ø.—4. la.—5. la.—6. la.—7. la / Ø.—8. las.—9. las.—10. el.—11. los.—12. la.—13. la.—14. Ø.—15. Ø.—16. los.—17. Ø.—18. Ø.—19. Ø.—20. Ø.—21. los.—22. la.—23. el.—24. un.—25. Ø.—26. la.—27. Ø.—28. Ø.—29. el.—30. Ø / un.—31. el.—32. el.—33. Ø.—34. Ø.

IX.14.

1. El otro día cuando vi a Esteban le conté algo que no sabía y que, aunque lo sospechaba, le sorprendió mucho. / A Esteban le sorprendió lo que le conté el otro día cuando lo vi, a pesar de que ya lo sospechaba.
2. Julio no sabe que Marta y Pablo lo esperan a las ocho con noticias importantes que él espera desde hace tiempo, así que debemos llamarle para que vaya. / Marta y Pablo esperan a Julio a las ocho con noticias importantes, pero Julio no lo sabe, o sea que debemos llamarle para que vaya, ya que hace tiempo que espera esas noticias.
3. No compartes mi opinión ni estás en contra: lo que pasa es que me tienes manía y, aunque lo comprendo, lo siento. / Siento que no estés en contra, pero comprendo que, como me tienes manía, no compartas mi opinión.

IX.15.

1. c) de.—2. d) enfadaras.—3. b) hubieras hecho.—4. d) como.—5. a) la.—6. b) con—7. c) fuerais.—8. d) aunque.—9. b) tengo.—10. d) ocuparía.—11. c) al cabo de.—12. c) mientras que.—13. b) están.—14. b) según.—15. a) estuvo.—16. d) ni siquiera.—17. a) son.—18. c) de gratis.—19. b) quejar.—20. b) bajo.—21. a) escucharan.—22. a) una / c) Ø.—23. d) obtenga.—24. b) tal como.—25. b) estando.—26. b) en.—27. b) hasta.—28. b) por.—29. d) parezca.—30. c) excluyeras.

CICLO X

X.1.1.

1. han concedido.—2. tratan de.—3. provocadores - suscitaron.—4. tales - sí mismo.—5. nacida en - valle.—6. ha tenido dificultades - afrontar.—7. descubrió - acudieron.—8. ruina.—9. han encargado - tarea.—10. talla - mediana.—11. odiar.—12. pregonando.—13. envidia.—14. mina.—15. llamada.—16. compartir.—17. empresa.—18. algo.—19. fundó.—20. antagonismos.—21. trance.—22. territorio.

X.1.2.

1. a.—2. de.—3. en.—4. de.—5. de.—6. por.—7. en.—8. con.—9. con. 10. de.—11. de.—12. entre.—13. de.—14. entre.—15. con - sin.—16. a.—17. a.—18. en.—19. de.—20. desde / por.

X.1.3.

1. ser alguien.—2. por el momento.—3. puesto - méritos.—4. tratamos.—
5. últimamente.—6. montañosa.—7. atrajo.—8. ha compensado.—9. exce-
siva.—10. aquello.—11. mala fama.—12. detuvieron - sometido - acusaron.—
13. gentes.—14. sujeto.—15. se alistó.—16. verdadera.—17. jornada.—18.
perseguir.—19. próspero.—20. concentrar.—21. amnistía.—22. amenaza.—
23. en plena juventud.—24 se sublevará.

X.1.4.

1. haga.—2. saldrán.—3. puedan.—4. dijeran.—5. quieran.—6. sabía.—
7. tenías.—8. han decidido / hayan decidido.

X.1.5.

1. haber llegado.—2. viéndose.—3. haber acumulado.—4. estado - casado -
participado - hecho - puesto - superado.—5. andando.—6. convencerle - prome-
tiendo.—7. considerada.—8. acusando - haber cometido.—9. durmiendo - sacar - pendiente.—10. evitar - encargarse.

X.2.

1. llegamos / habíamos llegado.—2. recibían / recibieron.—3. quise.—4. había dejado.—5. había quedado.—6. era.—7. llegaban / habían llegado.—8.
había cambiado.—9. consiguió.—10. interesaran / interesaban.—11. subí / su-
bimos.—12. abrí / abrimos.—13. había derribado.—14 se habían derrumba-
do.—15. era.—16. busqué.—17. era.—18. habían desaparecido.—19. habían llevado.—20. se mostraban.—21. había sobrevivido.—22. quedaba.—23.
es.—24. encontró.—25. era.—26. se cerraba.—27. dije.—28. quiero.

X.3.

1. estás.—2. está.—3. es - estamos.—4. están.—5. estuvo—6. estoy - es.—
7. es.—8. está.—9. estemos.—10. es.—11. está.—12. está.—13. es.—14.
sea - está.—15. está.

X.4.

1. como si.—2. para que.—3. porque.—4. puesto que / porque.—5. hasta que.—6. cuando.—7. si.—8. porque / puesto que.—9. con tal de que /
por poco que.—10. mientras.—11. puesto que / porque.—12. cuando.—13.
tal vez / a lo mejor.—14. por poco que / como / con tal que.—15. salvo que.

X.6.

1. Allí está la tienda de la que te hablé ayer.
2. Este autobús pasa por una plaza en la que debes bajarte. / Debes bajarte
   en una plaza por la que pasa este autobús.
3. Voy a pagar la entrada del coche con unos ahorrillos que tengo. / Tengo
   unos ahorrillos con los que voy a pagar la entrada del coche.
4. Éstos son los compañeros de trabajo de los que a menudo te hablo.

5. Éste es el hotel desde el que te llamé anoche.
6. Éste es el tema sobre el que debemos informarnos.
7. Ha venido por varios motivos que son del dominio público. / Los motivos por los que ha venido son del dominio público.
8. Elvira es la abogada laboralista para la que trabajé un tiempo.
9. Aquí está la meta hacia la que se dirigen los ciclistas.
10. No tengo argumentos con que convencerte.
11. Ha salido una ley según la que se crea un nuevo estamento de profesores.
12. Allí venden esa marca de relojes tras la que iba usted.

X.7. 🔲

1. —¡Qué bien si hubiéramos podido ir juntos! / ¿Te hubiera gustado obtener ese puesto? / ...
   —Sí, hubiera sido estupendo.
2. —¿Qué les has dicho? / ¿Cómo dice? / ...
   —Que hagan el favor de hacerme caso.
3. —¿Qué archivador has dicho que quieres? / ¿Quién es tu primo?
   —El que está al fondo.
4. —Si me ha dicho eso es porque me tiene manía. / ¿Por qué habrá dicho que tendremos líos con el jefe? / ...
   —El que te haya dicho eso da igual.
5. —¿Puedo llevarme este par de discos unos días? / ¿Seguro que irás al médico?
   —Pues claro que sí.

X.8.

1. Gira la palanca tal como pone en las instrucciones./ Gira la palanca como pone en las instrucciones.
2. Según dice el prospecto, no hay que tomar más de seis pastillas diarias. / Como dice el prospecto, no hay que tomar más de seis pastillas diarias.
3. Vas vestido como un gitano. / Vas vestido como si fueras un gitano.
4. Tal como nos habían advertido, se retrasaron. / Se retrasaron, como nos habían advertido.
5. Podemos ir en barco o en avión, como tú quieras.
6. Se comprometió a hacer las fotos tal como le dijera el periodista.
7. Según la receta, este pastel es muy económico, pero no lo es tanto.
8. Tal como se ve en el plano, debemos coger la segunda a la derecha. / Según el plano, está muy claro que debemos coger la segunda a la derecha.
9. Está oscuro como si fuera de noche.
10. Estaba excesivamente animado, como si hubiera bebido.

X.9. 🔲

¿Qué se puede hacer en ochenta años? Probablemente, empezar a darse cuenta de cómo habría que vivir y cuáles son las tres o cuatro cosas que valen la pena.
Un programa honesto requiere ochocientos años. Los primeros cien serían

dedicados a los juegos propios de la edad, dirigidos por ayos de quinientos años; a los cuatrocientos años, terminada la educación superior, se podría hacer algo de provecho; el casamiento no debería hacerse antes de los quinientos; los últimos cien años de vida podrían dedicarse a la sabiduría.

Y al cabo de los ochocientos años quizá se empezase a saber cómo habría que vivir y cuáles son las tres o cuatro cosas que valen la pena.

Un programa honesto requiere ocho mil años.

Etcétera.

E. Sábato, Uno y el universo. (Texto adaptado)

X.10.

1. a) Ignora cuándo llegará.—2. b) Se publicará hasta que la prohiban.—3. c) A pesar de sentirse enfermo, va al trabajo.—4. b) Fuimos porque lo sabíamos.—5. a) Siempre sale de noche.—6. a) Se acostará cuando llegue su padre.—7. b) Sabes todo lo que te pide Concha.

X.11.

Don Lolo: ¿Y tu chico?

Sebastiana: No me hables, Don Lolo; fritito está el hijo de mi sangre; desesperado. Aquello no es casa. Baldomero y su mujer, como nos tienen recogidos poco menos que de limosna, abusan, ¿sabes? Y todo se vuelven indirectas... y motes... y puyas.

Don Lolo: ¿Y por qué no trabaja tu niño? Vamos a ver.

Sebastiana: Mira el que habla; y trabaja menos que un cuadro. Se le va a dormir todo el cuerpo de no hacer nada.

Don Lolo: Ah, pero, ¿es que vosotros creéis que yo no hago nada?

Sebastiana: No haces más que bulto. Lo que le pasa a mi pobrecito José es que es un chiquillo, y está en la edad de divertirse. Señor, si tiene veinticinco años, ¿qué le vamos a pedir a la criatura? ¿No digo bien? ¿No es razonable lo que digo? Pues véle tú con esto a Baldomero. El otro día se liaron a palabras y en nada estuvo que acabaran a golpes. ¿Y todo por qué? Porque al pobrecito de mi vida le gusta recogerse por las mañanas casi todas las noches. Señor, ¡si está en la edad!... Si no la corre ahora, ¿cuándo la va a correr? Pero ese Baldomero es atroz. Se le ha cuadrado, y le ha dicho: «En mi casa, el que no haya venido a la una, se queda en la calle.» Y en la calle se queda todas las noches el hijo de mi alma. Ya ves tú qué disgusto para una madre. Y sin capa porque la empeñó el otro día.

Alvarez Quintero, Pepita Reyes. (Texto adaptado)

X.12.

El señor X afirmó que él siempre sería de este siglo. El tío respondió que el siglo que acababan de empezar sería un siglo materialista. El señor X replicó entonces que sería de mucho más adelanto que el que se había ido, que, por ejemplo, su amigo, el señor Longoria, de Madrid, acababa de comprar un automóvil que se lanzaba a la fantástica velocidad de treinta kilómetros por hora; y que el Sha de Persia, que por cierto era un hombre muy agradable, había comprado también un Panhard Levassor de veinticuatro caballos. El tío entonces se preguntó adónde iban con tanta prisa y le recordó lo que había pasado en la carrera París-Madrid, que había habido que suspenderla, porque antes de llegar a Burdeos se habían matado todos los corredores. El señor X le respondió que el conde Zboronsky, muerto en el accidente, y Marcel Renault, o Renol, que de ambas maneras solía y podía decirse, muerto también en el accidente, eran mártires de la ciencia, y que serían puestos en los altares el día en que viniera la religión de lo positivo. Explicó que a Renol lo había conocido bastante. El tío insistió, sin embargo, en que no le convencería.

F. García Lorca, *Doña Rosita la soltera.* (Texto adaptado)

X.13.

1. algún - algo.—2. alguna - nadie.—3. alguna.—4. alguna.—5. ningún.— 6. ningún.—7. nadie - algo.—8. algunos - alguien.—9. alguno.—10. nada - algunas.—11. algún.—12. nadie - ningún.—13. algunos - nadie.—14. nadie - ningún.

X.14.

1. No creo que la abuela se encontrara mal anoche porque habría llamado. / Si la abuela se hubiera encontrado mal anoche, habría llamado, o sea que no lo creo. / ...
2. Como Luis siempre avisa y como habíamos quedado a las ocho, me preocupa que le hubiera pasado algo y por eso no pudiera llegar. / Habíamos quedado a las ocho, pero Luis no llegó, así que me preocupa que le pasara/haya pasado algo, puesto que él siempre avisa. / ...
3. Martín, a quien había visto por última vez este verano cuando yo veraneaba en Benicarló, se extrañó de que yo no lo reconociera. / Como nos vimos este verano en Benicarló, donde yo estaba veraneando, por útima vez, le extrañó que yo no lo reconociera. / ...
4. Aunque Ramiro me pidió discreción, tengo que explicarte un secreto que él me contó, porque es muy divertido. / Ramiro me pidió discreción, pero, como es muy divertido el secreto que me contó, tengo que explicártelo. / ...

X.15.

1. b) dieran.—2. c) viendo.—3. a) están.—4. a) puesto que.—5. c) excesivo.—6. b) llegó.—7. b) estaba.—8. a) de.—9. c) por.—10. a) antes de.— 11. c) por lo que.—12. d) a.—13. c) me he dado cuenta.—14. a) como si.— 15. c) sí mismo.—16. a) empiecen.—17. d) leídas.—18. d) tocando.—19. c) siempre que.—20. a) es alguien.—21. a) es.—22. a) un ojo de la cara.— 23. b) había hecho.—24. b) de.—25. a) en el que.—26. c) estaba - c) diría.—27. a) últimamente.—28. d) tal y como.—29. b) pueda.—30. c) según.